올 어바웃 제인 오스틴

All
about
Jane
Austen

우리가 몰랐던 그녀의 이야기 올 어바웃

제인 오스틴

캐롤 아담스, 더글라스 뷰캐넌, 켈리 게쉬 지음
함종선 옮김

미래의 창

CONTENTS

PART 4

PART 5

PART 6

SECRET PAGE

제인 오스틴과의 첫 만남

"어디에서부터 시작해야 할까? 이 모든 중요하고도 하찮은 것들 중에 어느 것을 먼저 말해 줄까?"

제인 오스틴이 언니 카산드라에게 보낸 1808년 편지의 일부다. 여기서 오스틴이 말하는 '중요하고도 하찮은 것들'이란 이 편지처럼 아주 잘 쓴 편지들, 그리고 그보다 더 멋진 소설들이다. "어디에서부터 시작해야 할까?"라는 오스틴의 딜레마는 바로 우리의 딜레마이기도 하다. 이 사랑스러운 작가와 그 작품들을 묘사하기 위해서 우리는 어디에서부터 시작해야 할까?

어떤 소설과 작가를 접할 때면 누구든 첫인상을 받게 마련이다. 제인 오스틴에 관한 새뮤얼 이거튼 브리지스 경*의 첫인상은 "아름답고 날씬하고 우아하지만 볼이 너무 통통한" 아가씨였다. 그는 "그녀가 작가라고는" 꿈에도 생각하지 않았다.

> * Sir Samuel Egerton Brydges (1762~1837) 영국의 문헌학자이자 계보학자. 한때 국회의원을 지내기도 했으며, 오스틴과 친분이 있던 르프로이 부인(Madame Lefroy)과 남매 사이다. 고전 문헌을 발굴해 출판하는 일을 활발히 했으며, 소설을 쓰기도 했다.

그렇다면 시인 오든^{W. H. Auden}은 어떤가?

그녀만큼 나에게 충격을 준 이도 없다네
그녀에 비하면 조이스는 마치 풀잎처럼 순진해 보일 뿐.
영국 중산층 출신의 노처녀가 '돈'이 갖는 사랑의 힘을 묘사하고
너무도 솔직하고 태연하게 사회의 경제적 토대를 드러내는 걸 보노라면
정말로 마음이 불편해지는 걸 금할 길 없네.

키플링^{Rudyard Kipling}도 있다. 그가 쓴 단편 「제인추종자들^{The Janeites}」에
는 제1차 세계대전 당시 좀므 전선에서 전투를 벌이면서 총에다 '틸
니 장군'이나 '레이디 캐서린 드 버그'라는 오스틴 소설 속 등장인물
의 이름을 붙이는 인물들이 등장한다.

오스틴은 외로운 이들을 달래 주고, 근심에 빠진 이들을 행복하
게 하며, 그녀의 책이 읽히는 곳은 어디든 기쁨과 즐거움을 준다. 우
리는 『오만과 편견』에서 엘리자베스가 위컴을 잘못 판단하는 부분에
서 민망해하기도 하고(그리고 바로 그 순간, 우리는 그녀가 베넷 부인의
딸임을 확실히 인정할 수밖에 없다!), 『맨스필드 파크』를 읽으면서 패니
프라이스라는 인물을 완전히 이해하거나 완전히 싫어할 수도 있다.
하지만 이런 것들은 중요하지 않다. 소설 속 인물들이 놓쳐 버린 기
회가 안타까워서 마치 콕콕 찔리는 가시밭길을 걸어가는 듯한 불안
함을 느낄지라도, 오스틴이 안내하는 그 길을 따라가다 보면 우리는
결국 안전하게 집에 도착하리라고 믿기 때문이다. 그것도 바구니 한

가득 딸기를 담아서 말이다.

이 책을 보는 당신은 아마 제인 오스틴을 처음 만나고 있으며—어쩌면 영화로는 접한 적이 있을 테지만—조금 더 가까워지기를 원하고 있을 것이다. 제인 오스틴은 누구인가? 어떻게 그녀는 그렇게 대단한 소설을 썼을까? 어째서 그렇게나 많은 사람들이 그녀의 소설을 좋아하는 것일까? 그녀가 소설을 통해 진짜 말하려고 했던 것은 무엇이었을까?

이 책은 이제 막 오스틴 소설을 읽기 시작하는 사람들에게는 그녀의 삶과 소설들, 그리고 소설이 말하는 여러 주제들과 영화 각색에 관해 알려 줄 것이다. 제인추종자들과 애독자들, 제인 중독자들에게는 지식을 테스트해 보고 또한 새롭게 배울 기회를 줄 것이다. 부디 재미있고 유익한 시간이 되기를!

우리는 이 책에서 오스틴의 각 소설에 관한 '캡슐(칼럼명 '책속으로'=편집자)'을 제공한다. 하지만 걱정하지 마시라. 이 글에서 '행복한 결말'을 누설하거나, 혹은 그런 행복한 결말을 맞지 못하는 인물들이 누구인지 밝히지는 않을 테니. 이미 책을 읽은 사람이라면 이 캡슐에서 오스틴 소설을 읽는 새로운 관점을 접할 수도 있다. 물론 우리는 많은 이들이 오스틴 영화를 보았고, 1년에 한 번은 아니더라도 10년에 한 번씩 오스틴 소설을 다시 읽는 이들이 있다는 것을 알고 있다. 하지만 오스틴 소설을 읽지 않은 사람들, 그녀를 알고 싶어서 이 책을 들추는 사람들을 위해서, 우리는 플롯을 말하지 않겠다.

『엠마』나 『오만과 편견』의 첫 페이지를 처음으로 여는 이들이여!

그대들은 얼마나 복 받은 자들인가! 초보자들이여, 오스틴을 읽고 또 읽어라. 당신의 침대 머리맡에, 욕조 가까이에, 흔들의자 위에 오스틴을 놓아두고서.

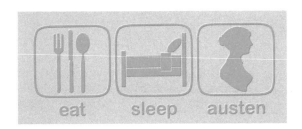

오만과 편견
PRIDE AND PREJUDICE

제인 오스틴 소설에 등장하는 가족 중 저녁 시트콤에 등장해도 될 만큼 아주 괴팍한 가족은 아마도 롱번의 베넷 가족일 것이다. 베넷 씨는 신랄한 조롱으로 아내의 쇠약한 신경을 마구 긁어대고, 그 자신도 어린 딸들 때문에 신경쇠약에 걸릴 지경이다. 베넷 부인은 무려 다섯 명이나 되는 딸들의 신랑감을 찾는 일에 강박적으로 매달려 있다. 뭐, 누구라도 베넷 부인 입장이 된다면 충분히 그럴 수 있다. 분별력 있고 차분한 제인과 독립심 강하고 심성 곧은 엘리자베스를 제외하면, 책벌레이기는 하지만 현명하지 못한 메리와 군인 뒤꽁무니나 쫓아다니며 유행에나 관심 쏟는 리디아와 키티, 이들 역시 베넷 부부처럼 문제가 많다. 간단히 말하자면, 이 가족은 당대에 등장했던 엉망진창 가족의 요소들을 모두 갖고 있다.

익히 알고 있듯이, 빙리라는 사람이 롱번에서 3마일 떨어진 네더필드 파크의 장원 저택을 임대했다는 사실이 알려지면서 『오만과 편견』이라는 시트콤은 시작된다. 이제 베넷 부인이 할 일은 결혼이라는 골인지점을 향한 달리기 경주에 딸들을 내놓고 충분한 관심을 사는 것이다. 베넷 부인의 머릿속은 온통 어떻게 하면 결혼을 성사시

킬 수 있을까 하는 궁리뿐이다. 무
도회와 사교 모임에 참석하고, 딸
들의 연애에 대한 계획을 세우고,
딸들을 예쁘게 치장시켜 내보내는
것, 이 모두가 이 딸, 아니면 저 딸
이라도 어떻게든 결혼시키기 위한
일이다.

베넷 부인이 결혼을 성사시키는
일에 몰두하는 한편, 이 소설은 결
혼 말고도 다른 많은 영역들을 다루고 있다. 예컨대『오만과 편견』은
젊은 여성의 교육에 관해 많은 것을 말해 준다. 여기서 교육이란 책
을 통해 익힐 수 있는 것들이 아니며, 빙리 양이 다아시의 관심을 끌
기 위해 자신이 매우 잘한다고 주장하는, 소위 교양 있는 여성이 갖
춰야 할 "음악, 성악, 그림, 춤, 불어와 독일어" 등은 더더욱 아니다.
천만에! 엘리자베스가 받을 교육은 그런 것이 아니다.

모든 시트콤에는 위기를 수반하는 극적 요소가 있다. 이 소설의
밑바탕이 되면서 베넷 부인을 끊임없이 분노케 하는 위기는 바로 베
넷 가족이 살고 있는 롱본 저택이 먼 친척에게 한정 상속되어 있다
는 사실이다. '한정 상속'이란 재산에 대한 가문의 소유권을 지속적
으로 보장하는 장치다. 한정 상속으로 유산을 물려받는 사람은 살아
있는 동안에 그 재산을 임대한 것에 지나지 않는다. 한정 상속을 통
해 장남 상속자가 저택을 물려받고 저택은 그 상속자의 아들에게 다

시 한정 상속된다. 상속자 아들은 '꼬리를 물고 이어진' 상속자가 되는 것이다.

한정 상속의 조건은 상속 명령에 따라 재산을 물려받은 사람은 나중에 그와 똑같은 일을 해야 한다는 것이다. 즉, 자신의 장남에게 살아 있는 동안의 임대권을 부여하고 그 장남의 장남에게 재산을 한정적으로 물려줘서 이후 두 세대 동안 재산 소유권이 가문에 묶여 있게 만든다. 베넷 부부는 자신이 당연히 아들을 낳을 것이며 아들이 21살이 되었을 때 한정 상속을 해제해 베넷 부인과 어린 자녀들의 생활을 보장할 수 있으리라고 기대했다. 하지만 아들 없이 딸만 다섯을 낳게 되자 베넷 부인과 딸들은 매우 어려운 상황에 처했다. 베넷 씨가 죽으면 집을 상속받을 콜린스 씨가 자신들을 내쫓을 것이라는 부인의 하소연은 전혀 근거 없는 것이 아니었다. 베넷 부인이 아주 신경질적이고 천박한 인물로 그려졌기 때문에 그녀의 불평 속에 숨어 있는 한정 상속에 대한 깊이 있는 비판은 독자들에게 제대로 전달되지 않는다. 베넷 부인을 대신해 한정 상속의 문제점을 제대로 드러낼 인물은 거만하고 불쾌한 레이디 캐서린이다. "여성 혈통 쪽에서 한정 상속이 이루어지는 경우는 없지." 그녀의 한마디는 한정 상속제에서 여성이 얼마나 배제되어 왔는지를 여실히 보여준다.

낯선 사람들, 그리고 여행

소설가 존 가드너John Gardner에 의하면 이 소설은 두 개의 기본적인 스토리 라인이 있다. 즉 낯선 사람이 마을로 오거나, 누군가가 여행을 떠나는 것. 똑똑하고 오만불손하며 반짝반짝 빛나는 엘리자베스 베넷은 이 두 가지 이야기를 여러 차례 경험하는 운 좋은 인물이다. 세 명의 이방인(다아시, 콜린스, 위컴)을 만나고 두 번의 여행을 떠나니 말이다(봄에는 샬롯의 목사관으로, 여름에는 더비셔로). 엘리자베스를 중심에 놓고 본다면『오만과 편견』은 그녀가 다양한 방법, 즉 개인적 경험, 사랑하는 사람과 낯선 이들에게서 얻은 비밀 이야기들, 집에서나 여행하면서 관찰한 것들을 통해 얻은 정보를 어떻게 해석하는지 배우는 과정이다. 빙리 양은 정보를 제대로 해석하지 못해서 연애에 실패한 예다. 그녀는 다아시가 좋아할 법한 교양 있는 여성이 되어 관심을 끌려 했지만 결국 '다아시가 좋아할 법한 교양 있는 여성'에 대한 그녀의 판단은 완전히 틀린 것으로 판명 났다.

그렇다. 이 소설의 연애담은 이렇듯 통찰력을 일깨워 가는 과정을 보여준다. 서로에게 안 좋은 첫인상을 주고받으며 불이 당겨지고, 오해와 그릇된 판단, 잘못된 재현을 겪으며 연애담은 더욱 뜨겁게 달아오른다. 엘리자베스는 이런 좌충우돌을 겪으면서 중요한 교훈을 얻는다.

제인 베넷도 낯선 사람과의 여행이라는 두 가지 스토리 라인을 경험한다. 샬롯 루카스도 마찬가지다. 결혼에 성공하기 위해서는 "열에 아홉의 경우, 여자는 호감 가는 남자에게 자신이 느끼는 것보다 더 많은 애정을 보여줘야 한다."고 믿는 샬롯은 그 믿음대로 행동해 결국 결혼에 성공한다. 하지만 이중적인 행동이나 소소한 아첨 따위와는 정말 거리가 먼 제인은 그렇게 행동하지 않았다. 이로 인해 극적 긴장이 형성되고 그 긴장의 코믹한 해소가 이루어진다. 빙리는 왜 런던에 갔으며, 제인이 런던에 갔을 때 그는 왜 제인을 보러 오지 않은 것일까? 또한 어떻게 한 여성에게 뜨거운 사랑을 고백한 남자가 3일 만에 다른 여자와 행복하게 결혼할 수 있을까?

『오만과 편견』은 여주인공인 엘리자베스만큼이나 생기가 넘쳐흐르는 소설이다. 제인 오스틴 역시 "너무나 만족스럽게 이리저리 가지치고 다듬어서" 써낸 이 훌륭한 작품을 자랑스러워했다. 1813년 2월 초, 오스틴은 카산드라에게 장난기 가득한 편지를 썼다.

"나는 아주 자랑스럽고 만족해. 이 소설은 너무 가볍고 밝고 톡톡 튀지. 그늘이 좀 필요한 것 같아. 그리고 여기저기 좀 더 늘릴 필요가 있어. 엄숙하고 그럴 듯한 헛소리가 아니라면 뭐, 좀 분별력 있어 보이지만 이야기와는 직접 관련이 없는 긴 챕터를 넣어서 말이야. 예를 들어 글쓰기에 관한 에세이라든지, 월터 스콧 비평, 혹은 나폴레옹 이야기 같은 것 말이지. 이 소설의 풍자적이면서도 발랄한 스타일과 대조를 이루어서 독자들이 그 유쾌한 스타일을 더 재미나게 느낄 수 있도록 말이야. 이 문제에 관해 언니가 동조하리라고는 생각하지 않아. 난 언니가 좀 딱딱한 사람이라는 걸 알고 있거든."

이 말은 물론 오스틴의 진심이 아니었다. 그녀는 뭘 더 집어넣어야 한다고 생각하지 않았다. 이 소설을 가지치고 다듬어낸 사람은 바로 그녀 자신이었으니까.

동네에 부대가 들어오면서 메리튼 마을 전체가 들썩였다. 낯선 사람들이 떼를 지어 마을에 온 것이다! 하지만 마을 사람들은 사람

을 파악하는 방법을 몰랐고, 설혹 안다 하더라도 너무 성급하게 판단하곤 했다. 그들은 다아시를 좋아했다가 싫어했다가 다시 좋아했다. 소설은 또 다른 청년에 관해서 다음과 같이 적는다. "메리튼의 모든 사람들이 그 남자를 헐뜯으려 애쓰는 것 같았다. 불과 3개월 전만 해도 거의 천사와 다름없던 그 남자를 말이다. …… 모든 이들이 그를 세상에서 가장 극악무도한 인간이라고 단호하게 말했다. 모든 이들이 그 남자의 선한 겉모습에 늘 불신을 품어 왔다고 말했다." 이 마을에서 소문은 빨리 퍼진다. "베넷 부인은 필립스 부인에게 소문을 말할 특권이 있었고, 필립스 부인은 허락도 없이 메리튼의 모든 이웃들에게 소문을 퍼뜨렸다." 당시에는 이런 쑥덕공론으로 사회적 공론이 형성되었다!

막내딸 리디아도 두 개의 스토리 라인이 있다. 몇 명의 낯선 이들이 마을에 오고, 리디아는 여행을 떠난다. 그리고 그 낯선 이들 중 한 명과 또 한 번의 여행을 떠난다.

생각해 보자. 오스틴은 존 가드너의 스토리 라인 이론을 한 번도 아니고 두 번도 아니고 세 번도 아닌, 무려 네 번이나 적용했다. 그것도 한 소설에서 말이다. 그렇게나 많은 스토리 라인을 하나의 안정된 플롯으로 균형 있게 끌어넣는 능력을 두고 어느 비평가는 다음과 같이 주장했다. "이 소설의 플롯은 아주 훌륭한 기계와 같다. 책을 읽으면서 우리는 부드러운 승차감을 자랑하는 롤스로이스에 탄 것 같은 쾌감을 느낀다."

『오만과 편견』의 매력은 엘리자베스 베넷의 위트와 반짝거리는 매력에서 비롯한다. 지금까지 엘리자베스만큼 매력적인 여주인공은 없었다. 활기차게 계단을 뛰어오르고 웅덩이를 뛰어 넘는 엘리자베스를 상상해 보라. 물론 빙리 양은 엘리자베스를 단지 "잘 걷는 여자"로 폄하했지만 말이다. 엘리자베스는 늘 활기가 넘쳐서 논쟁하고, 웃고, 지적인 대화를 나눈다. 그녀는 재치 있고 용감하다. 자기 의견을 확고히 주장하지만 생각을 바꿀 줄도 안다. 어려운 일이 생겼을 때 슬기롭게 극복할 줄도 안다. 하지만 그녀는 빙리가 제인에게서 느꼈던 것처럼 "천사보다 아름답다"는 식의 외모에 관한 찬사를 한 번도 들어본 적이 없다. 사실 엘리자베스가 하는 재치 있는 말들은 즐거움을 주기도 하지만, 때로 제발 저런 말 좀 하지 말았으면 하고 느껴질 때도 있다. 우리는 엘리자베스가 또 다시 예의범절을 어기며 위컴과 함께 다아시에 관해 안 좋은 이야기를 나눌 때 당혹감을 느낀다.

어떤 이들은 『오만과 편견』이 교훈적인 소설이라고 말한다. 독자들에게 어떤 교훈을 가르치려 하기 때문에 근본적으로 보수적인 속성을 띤다는 얘기다. 그런 사람들은 이 소설에서 바보로 그려지고 있는 가장 교훈적인 두 사람, 메리 베넷과 콜린스 목사에 대해 오스틴이 "가지치고 잘라낸" 부분을 다시 집어넣으려고 하는 것과 같다. 메리가 가족에 관한 일로 깊은 고뇌에 차 있을 때 내뱉는 말이라고는 기껏해야 진부한 표현들일 뿐이고, 콜린스 목사의 청혼은 마치 사업 제안과 같다. 물론 그에게 있어서 결혼은 일종의 사업이긴 하지만 말이다.

남자들, 청혼, 그리고 오해

비록 콜린스 목사가 "감정이 더 격해지기 전에" 청혼을 가까스로 철회하긴 했지만, 엘리자베스는 그의 청혼을 듣자마자 정말로 도망이라도 치고 싶었을 것이다. 결코 '뺀질이' 과는 아니었던 콜린스 목사는 늘 당혹스러운 일을 자초한다. 엘리자베스가 제인에게 말하듯이, 콜린스 목사는 "거만하고, 속 좁고, 어리석은 남자"다. 게다가 그는 늘 했던 말을 또 하고 "월계수 가지를 바치노니" 같은 진부한 어구를 되풀이하는 아첨꾼에다 위선자다. 근엄하게 도덕을 논하면서도 춤을 추고 카드놀이를 하는 목사가 바로 콜린스라는 사람이다. 애초에 그의 도덕성 자체는 믿을 만한 것이 못 되었다. 그가 포다이스 박사 등 당대 도덕가들을 운운하며 여성의 품행에 대해 늘어놓으며 설교하는 것 역시 미심쩍기만 하다.

그렇다. 우리는 다아시에 관해서 단지 막연한 이야기만 들을 수 있을 뿐이고, 소설 첫 부분을 제외하고는 어디서도 그의 '진짜 생각'을 알 수가 없다. 우리는 그가 베넷가의 딸들이 좋은 집안과 결혼하기 힘들 거라고 믿고 있으며, 이 세상에 진정으로 교양 있는 여자는 여섯 명이 채 안 된다고 생각한다는 것을 안다. 이런 것들은 모두 그가 직접 말했기에 알게 된 것들이다. 어찌 보면 엘리자베스가 다아시라는 인물을 제대로 판단하지 못한 것도 당연하다. 다아시가 직접 말한 몇 가지를 제외하면 그에 관해서 온통 혼란스런 정보만 있지 않은가!

다아시가 빙리에게 "자네는 예쁜 여자하고만 춤추는군."이라고 말했을 때 그 말은 성격 나쁜 남자의 심술궂은 멘트 같았다. 그는 정말로 성격이 나쁜 사람일까, 아니면 그저 그날 밤 기분이 나빴을 뿐일까? 다아시는 자기보다 사회적 지위가 낮은 빙리가 그날 파티에서 제일 예쁜 여자랑 춤을 춰서 발끈한 것일까? 다아시의 행동은 어떻게 보면 관대해 보이고, 또 어떻게 보면 비열해 보이기도 한다. 엘리자베스의 실수, 즉 그녀가 가진 편견은 다아시의 행동을 비열하다고 해석한 점이다. 예를 들어 그녀는 다아시를 내성적이라기보다 무례하다고 생각했고, 그가 단지 기분이 우울해서 말이 없는 것을 두고 거만하다고 여겼다. 하지만 단적인 예로, 다아시는 빙리 자매의 경박한 행동들을 참아 주지 않았던가? 엘리자베스는 그런 모습에서 다아시의 인내와 자제를 발견할 수도 있었다.

리처드 벤틀리가 출간한 1833년 판 『오만과 편견』 본문에 들어간 삽화.
"엘리자베스는 다아시가 리디아를 위해 자발적으로 한 일에 대해 말해 주었다.
베넷 씨는 그 말을 듣고 깜짝 놀랐다."

엘리자베스의 추리 능력은 형편없다. 피츠윌리엄 대령은 다아시가 다른 곳으로 떠나는 날을 차일피일 미루고 있다고 그녀에게 말한다. 다아시는 과연 왜 출발을 미루었을까? 또한 엘리자베스는 다아시에게 자신의 산책로를 말해 줌으로써 더 이상 서로 만나지 않을 것을 기대하지만 그는 계속 그곳에 나타나 그녀와 마주친다. 이런 다아시의 행동을 제대로 해석해 내지 못하는 엘리자베스는 정말 배워야 할 게 많은 여자다.

아버지, 그리고 실망

오스틴의 여러 소설에서 아버지는 실망스러운 존재다. 틸니 장군과의 즐거운 저녁식사를 상상할 수 있을까? 한마디로 불가능하다. 우드하우스 씨와의 저녁식사는 또 어떤가? 그 변덕스런 비위에 거슬리는 무언가가 있으면 그는 당장 눈앞에서 우리가 먹고 있는 아스파라거스와 송아지 고기를 휙 낚아챌 것이고, 우리는 아마 활활 타오르는 화롯불 앞에서 땀을 뻘뻘 흘리며 앉아 있을 것이다. 월터 엘리엇 경은 어떤가? 아마 우리 대부분은 엘리엇 경이나 대림플 부인과 앉아 있느니, 차라리 치마가 진흙투성이가 되더라도 10리 길을 걷는 게 낫다고 생각할 것이다. 글쎄, 베넷 씨는 좀 다를까? "예민함, 신랄함, 수줍음, 변덕이 마구 버무려진" 성격인 베넷 씨는 어쩌면 재미있는 사람인지도 모른다. 하지만 그 재미가 얼마나 갈까? 늘 조롱하고 비난해 대는 그의 유머 탓에 베넷 부인이 저렇게 된 건 아닐까? 그는 늘 아내의 신경을 긁어 대니 말이다. 그는 직접적으로 속 시원하게 말하는 법이 없다. "네더필드에 있는 낯선 이를 좀 만나야겠구만." "네더필드의 그 낯선 이를 만나고 왔소. 그는 꽤 괜찮은 사람이더군. 이름이 빙리라지." 그는 아내를 가지고 논다. 자신이 죽었을 때 일어날 일에 대해 걱정하는 아내를 위로한답시고 하는 말이란 고작 "더 좋은 상황을 가정해 봅시다. 이를테면 내가 당신보다 더 오래 사는 것 말이오."라니, 세상에나! 마틴 에이미스^{Martin Amis}가 베넷 씨를 "제인 오스틴 소설에서 가장 시니컬한 사람"이라고 말한 것도 괜한 일이 아니다.

그는 처음에는 꽤나 호감 가는 인물로 그려진다. 첫 챕터, 그리고 이후 몇 챕터에서 우리는 그의 위트에 큰 웃음을 터뜨린다. 하지만 곧 그의 위트가 위험한 냉소로 가득 차 있음을 알게 된다. 특히 그가 부모라는 점을 고려할 때 문제는 더욱 심각하다. 이 냉소적인 사람은 자식들에게조차 늘 정서적으로 거리를 둔 상태에서 말한다. 엘리자베스는 베넷 씨의 냉소가 리디아에게 끼치는 영향에 대해 지적하기도 한다. "리디아는 심각한 주제에 대해 생각해 보도록 교육받은 적이 없어요……. 그 애는 늘 쾌락이나 허영심으로 가득 찬 일에만 시간을 보냈어요. 그 애가 짓궂은 장난을 치거나 게으름을 피우면서 시간을 허비해도 아무도 뭐라고 하지 않고 내버려 뒀잖아요."(당대의 관점에서 보면 꽤나 페미니즘적인 발언이다!)

세 번의 거절

엘리자베스가 아버지에게서 배운 게 있다면 아마 자기 의사를 분명

히 말하는 법일 것이다. 실제로 엘
리자베스는 너무나도 똑 부러진
말로 콜린스와 다아시, 레이디 캐
서린, 이 세 사람의 프로포즈를 거
절했다. 이 세 번의 거절이 의미하
는 바, 『오만과 편견』은 당대 젊은
여성들에게 요구되었던 행위 규
범에 대한 거부를 분명하게 보여
주는 소설이다. 엘리자베스는 사
랑 없는 결혼은 하지 않겠다고 선
언하는가 하면, 당시의 사회적 신
분과 계급적 위계질서를 존중하지
않는 모습을 보이기까지 한다. 게
다가 끔찍하게 잘못된 '여행'—위
컴과의 도주—을 한 리디아는 집

리처드 벤틀리가 출간한 1833년 판
『오만과 편견』의 또 다른 장면.
롱본으로 엘리자베스를 만나러 온
레이디 캐서린

에서 쫓겨나는 일 따위를 겪지 않는다. 엘리자베스의 오만방자함이
덜 거슬리는 이유는 아마도 더 제멋대로 구는 리디아가 있기 때문일
것이다. 자신의 잘못을 반성하고 후회하기는커녕 진지하게 조언해
주는 가디너 이모에게 코웃음을 치는 리디아에 비한다면, 엘리자베
스는 적어도 반성하고 후회를 하니 말이다.

마을을 찾아왔다가 때로는 급박하게, 때로는 질질 시간을 끌다가
욕을 먹으며 마을을 떠나는 낯선 이들, 런던, 헌스포드, 데본셔, 브라

이톤 등을 방문하는 여주인공들, 이 모든 스토리 라인을 제인 오스틴은 멋진 솜씨로 요리해 낸다. 100년쯤 전에 레지날드 파러Reginald Farrer는『오만과 편견』이야말로 "영국 문학의 가장 위대한 기적"이라고 선언한 바 있다. 오스틴이 창조한 이 소설은 어떤 면에서 펨벌리 저택과 닮았다. "겉멋만 잔뜩 내거나 쓸데없이 화려한" 저택들과는 차원이 다른 다아시의 더비셔 저택 말이다. 우리가 이 소설의 오만방자한 면에 반했는지 생기발랄한 점에 반했는지, 엘리자베스가 우리에게 묻는다면 뭐라고 답할 수 있을까? 글쎄, 그 질문에 답하기 위해선 소설을 다시 한 번 읽어야 할 듯하다.

좋은 소설의 첫 문장이 끝없이 모방된다는 것은 보편적으로 인정된 진리다. 구글을 검색해 보면 『오만과 편견』의 첫 문장만큼 많이 모방되는 영광을 누린 문장도 없다. 〈뉴욕 타임스〉만 해도 셀 수도 없이 이 문장을 쓰고 또 써서, 이런 식의 모방은 이제 식상할 정도가 되었다.

"재산이 많은 독신남이 반드시 아내를 필요로 한다는 것은 보편적으로 인정된 진리다." 우리는 제인 오스틴이 이 첫 문장의 행간에 숨은 의미를 읽으라고 독자에게 요구하고 있다는 것을 알아차린다. 재산 많은 독신남이 반드시 아내감을 물색하게 되어 있다는 것은 혼기를 놓친 딸을 둔 어머니들에게나 '보편적 진리'이기 때문이다. 이

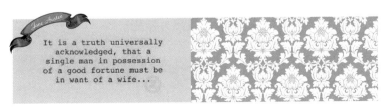

It is a truth universally acknowledged, that a single man in possession of a good fortune must be in want of a wife...

첫 문장은 소설에서 무슨 일이 일어날지를 미리 알려 주는, 기막히게 영리한 장치다. 이 문장을 통해 오스틴은 독자에게 말하는 듯하다. "보편적 진리를 기대하지 마라. 나는 이 소설을 보편적 진리로 시작하고 있지 않으니."

제인 오스틴은 당시에 당연한 사실로 받아들이던 보편적 기술을 이와 같이 재치 있고 함축적인 단 한 줄의 문장으로 날려 버린다. 이는 18세기 모럴리스트들에게서 흔히 볼 수 있는 스타일이다.

오스틴은 자신이 좋아했던 작가들에게서 이런 스타일을 배웠을까? 새뮤얼 존슨Samuel Johnson이 쓴「램블러Rambler」*의 논설에서 젊은 독신남 히메니어스는 자신에게 딸을 시집보내기 위해 능란한 언변으로 갖가지 술수를 부리는 '사냥꾼'들에 대해 이렇게 불평한다. "나는 재산을 가졌다고, 그리고 아내를 원한다고 알려져 있지요."

또한 문학평론가 엘렌 모어스Ellen Moers는 다음과 같이 지적한 바 있다. "오스틴이 쓴 모든 소설의 첫 번째 문단에는, 특히 그녀의 가장 훌륭한 첫 문장들에는 반드시 돈에 대한 언급이 있다."『엠마』의 첫 문장을 보자. "예쁘고, 똑똑하고, 부유하며, 안락한 가정과 밝은 성격을 지닌 엠마 우드하우스는……."『맨스필드 파크』는 또 어떤가? "30년 전에 헌팅턴의 마리아 워드 양은 오로지 700파운드만 가지고서……."

하지만『오만과 편견』의 첫 문장이 특히 중요한 이유는 그동안 첫 문장에 비해 주목을 받지 못했던 두 번째 문

* 1750~52년에 런던에서 출판업자 존 페인이 주2회 발행하던 2페니짜리 신문. 각 호에 익명의 논설을 1편씩 실었다. 그런 논설은 정기적으로 총 208편이나 실렸는데 5편을 제외하고는 모두 새뮤얼 존슨이 쓴 것이다.

장과 짝을 이루고 있기 때문이다.

재산이 많은 독신남이 반드시 아내를 필요로 한다는 것은 보편적으로
인정된 진리다.

그 독신남이 어떤 감성과 사고방식을 지닌 사람인지에 대해 아무리
알려진 바 없더라도, 이 진리는 이웃에 사는 사람들의 마음에 너무나
확고히 박혀 있어서, 그는 이 집, 아니면 저 집 딸의 당연한 재산으로
간주된다.

리차드 젠킨스Richard Jenkyns는 이 두 문장의 리듬에 교회 예배에서 들
을 수 있는 잠언 낭송 소리의 리듬이 영향을 끼쳤을 것이라고 말했
다. 스티븐튼 교구 목사의 딸이었던 오스틴은 매주 예배에 참석했을
것이기 때문이다. 젠킨스는 다음과 같이 추론한다.

그녀는 아마도 거의 매주 교회에 가서 잠언 낭송을 들었을 것이다. 그
낭송의 리듬들, 한 구절에 응답하는 다른 구절, 그 울림과 높낮이가
그녀의 의식 깊은 곳에 자라집고 있었음에 틀림없다.

천국은 신의 영광을 천명하고
창공은 신의 작품을 보여주네.
하루 낮은 다른 날을 말하고,

하루 밤은 다른 밤을 약속하네.

이것이야말로 『오만과 편견』을 시작하는 리듬이다.

이 리듬은 소설이 영화로 만들어지는 과정에서 안타깝게도 사라지고 말았다. 따라서 이 첫 두 문장의 서술에 깃든 아이러닉한 어조가 어느 한 인물의 대사를 통해 드러나야만 한다. 1980년 BBC 미니시리즈에서는 엘리자베스가 샬롯 루카스에게 말하는 대사에 이 첫 문장이 등장한다. 1995년 BBC 버전에서는 빙리가 네더필드로 이사 왔다는 소식을 전하는 어머니를 보며 엘리자베스가 자매들에게 하는 대사에 나온다. 1940년과 2005년 버전에서는 이 문장이 아예 등장하지 않는다. 엘리자베스 베넷의 우리 시대 현신이라고 할 수 있는 영화 〈브리짓 존스의 일기〉의 주인공은 이렇게 선언한다. "삶의 한 부분이 제대로 굴러가면 다른 부분이 삐걱거리게 마련이라는 것은 보편적 진리다." 『테헤란에서 롤리타 읽기Reading Lolita in Tehran』에는 이런 문장도 있다. "재산이 있든 없든, 무슬림 남자가 아홉 살짜리 처녀 신부를 원한다는 것은 보편적 진리다."

오스틴은 우리가 그 문장을 다시 쓰기를 원한다. 『제인 오스틴을 찾아서Searching for Jane Austen』에서 에밀리 아우어바흐Emily Auerbach는 말한다. "아이러니를 쓰는 작가는 그것을 읽어 줄 지적 능력이 있는 독자를 원한다. 오스틴은 우리에게 지성적인 태도와 편견을 뒤엎으려는 마음가짐으로 소설에 접근할 것을 요구하고 있다."

시대와 인물을 읽는 키워드
마차 이야기

섭정기 영국*의 신사 계급에서 마차는 아주 중요했다. 오스틴이 살았던 당시는 운송 수단의 중요성이 부각되고 있었으며, 여행이 이익을 낼 수 있는 일종의 산업으로 여겨지기 시작했다. 치료를 위해 바스로 여행을 가거나 런던과 같은 대도시로 여행하는 일이 잦아지면서 더 많은 마차뿐 아니라 더 좋은 길이 필요해졌다. 여행이 유행하면서 이를 이용해 돈을 벌 목적으로, 또는 울퉁불퉁한 마차 길을 닦아 여행을 좀 더 편하게 하기 위해서 유료 도로를 건설했다. 또한 마차에 세금을 매겨서 전쟁 비용을 충당하기도 했다.

이를 통해 어떤 종류든 탈것을 소유한다는 것은 아주 많은 비용이 드는 일임을 알 수 있는데, 결국 마차가 단순한 이동 수단이 아니라 신분을 드러내는 징표가 된다는 것을

* Regency England(1811~1820).
영국의 섭정 황태자 조지(훗날의 조지 4세)가 부왕인 조지 3세를 대신해 통치권을 맡았던 기간을 말한다. 제인 오스틴이 이 시대에 주요 작품 활동을 벌였기 때문에 그에 영향을 받은 로맨스 작가들은 그 시대를 주된 배경으로 다루고 있다. 이런 소설들을 '리젠시 소설'이라고 부르기도 한다.

의미한다. 베넷가※의 마차는 유지 비용이 얼마만큼 드는지 한번 살펴보자. 베넷가의 마차는 4륜 마차로, 실내 앞뒤 좌석에 각각 세 명씩 모두 여섯 명이 탈 수 있고, 간이 좌석을 사용하면 일곱 명까지도 탈 수 있다. 여기에 마차 꼭대기와 마부 옆 좌석에 각기 한 명이 더탈 수 있으며, 마차는 대개 말 네 필이 이끈다. 이는 마차 주인이 마차 구입비용, 세금, 마부, 그리고 마부의 의복비, 말들과 그 말들을 관리할 하인들을 고용할 수 있는 재력을 지녀야 함을 의미한다. 생각해 보라. 베넷 씨는 다섯 명의 딸들과 아내의 생활비는 물론이고 그들을 시중들 하인과 요리사를 고용하는 비용에 덧붙여서 마차에 들어가는 제반 비용까지 충당할 수 있는 재력을 지녔음에도 그 지역

지붕이 없는 이륜마차인 기그

유지에 가까스로 끼는 인물로 그려졌다! 그렇다면 오스틴의 주브닐리아[109쪽 참조]에 등장하는 "말 네 필이 *끄는* 4륜 마차"뿐 아니라 "4륜 마차, 4륜 경마차, 2륜 경마차, 랜도[landeau], 랜도렛[landeaulet], 지붕 없는 마차, 지붕 있는 마차, 기그[gig], 4륜 쌍두마차, 2륜 쌍두마차, 버기[buggy], 소형 2륜마차, 큐리클[curricle], 외바퀴 손수레"까지 있는 클리포드 씨는 재산 규모를 이루 짐작하기 어려운 갑부, 즉 섭정기 시대의 빌 게이츠라 할 수 있다. 그런 인물이 등장하는 소설은 물론 현실성 없는 코믹 판타지다. 오로지 왕족만이 이 모든 마차들을 소유할 수 있었을 것이다. 다른 한편에서는, 말 한 필을 유지할 여유가 없어서 윌로비가 주려 한 암말 '퀸 맵'을 거절하는 마리안느가 있다.

새 마차는 신혼부부의 필수품이기도 했다. 베넷 부인이 딸들 중 하나가 곧 결혼할 것이라고 믿게 되었을 때, 머리에 가장 먼저 떠올린 것은 "집, 새 마차, 결혼 예복"이었다.

"마차[carriage]"란 모든 종류의 이동 수단에 적용되는 용어였다. 구조적으로 몸체에 바퀴를 연결한 것을 의미하며, 오늘날 자동차 용어로도 쓰인다. 앞에서 언급한 클리포드 씨의 대단한 마차 목록에서 볼 수 있듯이, 당시에는 마차 종류가 무척 다양했다. 그리고 여러 종류의 마차들은 그것을 모는 사람들의 사회적 지위를 함축적으로 나타냈다. 기그와 큐리클은 둘 다 가볍고 지붕이 없는 2인용 이륜마차인데, 콜린스 씨와 에드워드 던햄 경, 존 소르프는 말 한 필이 *끄는* 기그를 몬다. 하지만 큐리클은 말 두 필이 *끄는* 마차이기 때문에 당시 큐리클을 소유한 사람은 기그를 모는 사람보다 더 부자로, 즉 사회적으로 더 우월한 계층으로 여겼다. 다아시, 빙리, 윌로비, 헨리 틸니, 찰스 머스그로브가 큐리클을 몰았던 인물들이다.

바루슈barouche는 당시에 가장 비싼 마차였다. 바루슈에는 짐칸이 없었는데, 바루슈를 탈 정도로 돈이 많은 사람이라면 그만큼 말과 하인이 많아서 하인들이 타는 다른 마차에 짐을 실을 수 있었기 때문이다. 레이디 캐서린은 바루슈를 소유하고 있지만 롱번에 올 때엔 "말 네 필이 끄는 체이스chaise"를 타고 온다. 『엠마』에서 엘튼 부인은 친구인 서클링 씨 가족이 몰고 온 바루슈-랜도barouche-landeau, 즉 일종의 컨버터블 바루슈에 관해 끊임없이 수다를 떤다. 소설에서 이렇게 마차의 특별한 종류까지 언급해 가며 말하는 사람은 엘튼 부인뿐이다. 엘튼 부인만이 사회적 지위에 관해 떠들어 대면서 누가 어떤 마차를 가졌는지를 세세히 꿰고 있다. 엘튼 부인은 제인 페어팩스 같은 약자에게는 무례한 태도를 보이면서도, 나이틀리 씨처럼 부유하고 영향력 있는 인물에게는 마치 큰 친분이라도 있는 듯 "이름을 들먹이며" 과시하는 전형적인 속물이다. 엠마는 나이틀리 씨와 웨스턴 부인에게 엘튼 부인의 이런 면을 이야기하며 비웃는다. "나는 그녀가 자신의 그 대단한 의도에 관해 세세하게 늘어놓기를 멈추는 것을 전혀 상상할 수 없어요. 교구 목사직 얻기에서부터 바루슈-랜도를 타는 일행에 끼어들기까지요."

『맨스필드 파크』에서 토마스 경은 크로포드 가족의 저녁식사에 초대받은 패니를 마차에 태워서 보내는데, 이것은 이제 토마스 경이 패니가 결혼할 시기가 되었음을 알아차렸다는 걸 보여준다.

메리 머스그로브는 앤의 미래가 얼마나 행복할 것인지를 생각하면서 "아주 예쁜 랜도렛의 주인이 되는" 걸 상상한다. 랜도렛이란 말한 필이 끄는 2인용 마차로, 흔히 여성용 마차로 여겨졌다.

위에서 살펴보았듯이, 오스틴은 누가 어떤 마차를 모는지도 신중히 선택했다. 활력이 넘치는 젊은이들은 자신을 뽐내면서 탈 수 있는 기그나 큐리클을 몬다. 기그와 큐리클은 아주 빠르고 더 위험하기도 하다. 마차는 종종 진창에 빠지거나 큰 돌에 부딪히거나 혹은 급경사를 돌면서 바퀴가 빠지고 뒤집힐 위험이 있다. 강도를 당할 위험은 말할 것도 없다.

하지만 당시 여행객들은 이런 위험들을 기꺼이 감수했다. 마차를 소유할 여력이 없는 사람들조차도 역마차를 타고 여행을 하곤 했다. 물론 대다수의 평범한 사람들은 평생 마차에 타볼 기회도 갖지 못했다. 역마차를 이용하는 사람들에게는 우편 마차가 가장 근사했고, 해크니hackney 마차가 가장 볼품없었다. 우편마차는 정해진 시간 안에 배달을 해야 하기 때문에 매우 빠르다는 장점이 있었고, 또 옆에서 지켜주는 사람이 있었다. 반면에 해크니 마차는 말이 딸려 있지 않기 때문에 숙박지마다 말을 빌려서 다녀야 했다. 명예를 존중하는 젊은 아가씨라면, 정말 어쩔 수 없는 경우를 제외하고는 해크니 마차에 발을 들여놓지 않았다. 물론 『오만과 편견』의 한 젊은 아가씨는 위컴과 함께 체이스를 탔다가 해크니 마차로 바꾸긴 했지만 말이다. 해크니 마차는 그들이 신분을 숨기고 달아날 수 있게 해주었고, 때로는 성관계도 가질 수 있게 해주었다.

마차는 단지 여행 수단에 그치지 않는다. 오스틴 소설에 등장하는 수많은 젊은 아가씨들에게 마차는 작은 마을을 떠나 저 바깥세계를 경험하는 수단이기도 했다. 당시 아가씨들은 혼자 여행할 수 없었다. 오스틴 역시 여행을 할 때면 오빠나 남동생이 오기를 기다려야 했다. 소설이 진행됨에 따라 마차가 등장해 캐서린 모어랜드를 바스로 데려다 주고, 엘리자베스 베넷을 더비셔로, 대시우드는 여성들을 런던으로 데려다 준다. 『다락방의 미친 여자The Madwoman in the Attic』라는 비평서에서 산드라 길버트Sandra Gilbert와 수전 구바Susan Gubar는 오스틴의 초기작에서부터 사후 출간된 작품에 이르기까지 '말과 마차에 관한 지속적인 관심'이 나타나는 이유를 바로 이런 여행이 가져다주는 자유에서 찾았다. 그 자유의 가장 극단적인 형태가 바로 가출 소녀들을 통해 구현된다. "낭만적인 생각에 가득 차서 집에서 도망쳐 나오기 위해서는 누구와 무슨 짓이라도 할 젊은 아가씨"들 말이다. 수전 구바와 산드라 길버트의 이 가출 여성 목록에는 7명이 올라 있지만, 여기서 그들의 이름과 비밀을 밝히지는 않겠다. 오스틴 소설을 읽고 직접 확인하시라.

소설에서 마차가 갖는 상징의 훌륭한 예는 바로 크로프트가 사람들이 서로 균형을 맞추면서 운전의 책임을 공유하는 모습이다. 앤 엘리엇은 크로프트가의 기그를 타고 가면서 그들을 관찰한다. 크로프트 부인은 남편에게 말한다. "여보, 저 기둥을 보세요. 잘못하다간 저 기둥에 부딪히겠어요." 이 말을 듣고 크로프트 대령이 침착하게 고삐를 잘 죄어서 안전하게 위험을 피했다. 이후로도 크로프트 부인이 현명하게 처신해서 그들은 구덩이에 빠지지도 않았고, 분뇨 마차와 부딪치지도 않았다. 그리고 앤은 그들이 운전하는 방식에 즐거움을 느끼며 아마도 그들은 이렇게 모든 일들을 잘 해결해 나갈 거라고 생각했다.

"내가 주제넘게 나선 것이라면 용서하고, 아니면 적어도 펨벌리에서 내쫓는 벌은 내리지는 말아 다오.
그 드넓은 영지를 다 둘러본다면 정말로 행복할 거야. 작은 조랑말 한 쌍이 이끄는 파에톤 마차면 될 것 같구나."
― 『오만과 편견』에서 가디너 부인의 대사

나는 왜 그녀와 결혼했나

– 베넷 씨의 고백 –

우리 저자들은 베넷 씨와 베넷 부인이 결혼하기 전에 일어났을 이상한 일들을 곰곰이 생각해 보았다. 소설에서 그는 아내와 제대로 된 대화를 나누는 적이 거의 없다. 베넷 부인이 다섯 딸들의 도움을 받아 질문을 해봤자 베넷 씨로부터 만족할 만한 대답이 돌아오는 경우도 거의 없다. 여기 좀 더 솔직한 가상의 베넷 씨에게 『오만과 편견』의 가장 큰 미스터리, 즉 '그는 어떻게 가디너 양(베넷 부인의 처녀 시절 이름 =역주)과 사랑에 빠지게 되었나'에 대해 들어 보기로 하자.

경솔해 보이는 그녀의 언행이 현명해 보이는 내 기질과 잘 맞았어요. 물건을 살 때 동전한 푼의 차이를 두고 한 달간 고민하는 내가 터무니없이 비싼 모자를 서슴없이 사는 그녀를 보았을 때, 굉장한 흥미를 느꼈어요. 그녀는 내가 살고 있는 세상에서도 자극적인 삶이 가능하다는 걸 보여줬다고나 할까요. 나는 내가 아주 건전한 신사라는 헛된 생각을 가져 왔었지요. 내가 그린 사람이 전혀 아니라는 사실이 느러났음에도 말예요. 나노 한때 젊은 시절에는한 번에 너무 많은 돈을 써 버리고는 한동안 지갑을 꼭 닫고 사는 습관이 있었던 것 같아요. 계속 낭비를 해대는 아내의 버릇은 비록 분별없기는 하지만 일관된 면은 있다고 봐요.

그녀는 모든 쾌락적인 것을 좋아했고 젊음의 혈기에서 우러나오는 조금 천박한 기질도 있었는데, 그걸 고치려는 내 시도는 번번이 실패했네요. 우리가 처음 만났을 때 그녀가 던졌던 바람기 있는 미소, 첫 번째 댄스에서 기꺼이 내 손을 잡아주던 모습을 나는 아직도 생생하게 기억하고 있어요. 정말 얼마나 생기발랄한 아가씨였는지! 그 생기발랄함을 나는 지금 엘리자베스에게서 보고 있어요.

대부분 변호사였던 내 친구들은 재미라곤 찾을 수 없는 디너파티를 자주 열었어요. 저는 다른 사람들 몰래 그녀에게 우리를 초대한 사람들을 비웃는 농담을 던지곤 했지요. 다른 사람들이 내 농담을 듣지는 못했지만 그녀가 웃음을 참느라 기침을 하다 파티 주인의 옷을 망쳐놔서 몇 번을 보상해 줬는지 몰라요.

만난 지 그리 오래지 않아 우리는 약혼을 했고, 곧 결혼을 했어요. 우리가 만난 즉시 그녀는 나와 사랑에 빠졌지요. 그녀는 한 번 마음먹으면 결코 포기하는 법이 없고, 자기가 찍은 사람에게는 맹렬하게 들이대는 타입이에요. 물론 나도 그녀를 사랑하기는 했지만 그녀가 날 사랑하는 만큼 열렬하지는 못했지요. 그녀는 아주 매력적이었고, 그녀의 애정은 타의 추종을 불허했으며, 또 잘 어울리기도 했어요. 또 그녀 말고 이 세상 어느 누가 나처럼 재미없는 사람을 이렇게 사랑해 줄 수 있으랴 생각했고요.

물론 내가 그녀를 위해 결혼을 '해주었다'는 의미는 아니에요. 아내의 보살핌과 활기는 서재에서 차분하게 책을 읽거나 혼자 있기 좋아하는 내 기질을 보충해 주었지요. 그녀는 늘 그래왔고 지금도 그렇듯이 정말로 가슴으로부터 느끼는 여자이고, 자신의 마음을 그대로 표현하는 여자입니다. 물론 그 가슴에서 느끼는 것이 시도 때도 없이 변해서 문제이긴 하지만요. 그녀는 또한 생각과 행동이 늘 일치하는 사람이에요. 물론 그래서 매력적이기도 하지만 때로는 아주 짜증스럽기도 하지요. 말하자면 그녀는 댐을 부수고 폭포수처럼 흘러내리는, 어디로 흐를지 알 수 없는 홍수와도 같아요. 물론 그 경우 불행한 댐은 바로 나지요.

왜 제인 오스틴인가

『바보들을 위한 제인 오스틴 안내서Jane Austen for Dummies』의 저자
조앤 클링겔 레이와의 인터뷰

Q 우선, 왜 제인 오스틴이지요?

A · 어떻게 오스틴에게 관심을 안 가질 수 있겠어요! 오스틴
은 분명 영어권에서 가장 위대한 작가 중 한 명이니까요.
그녀가 죽고 나서 영국의 남녀 지식인들은 이 무명의 소
설가와 작품들에 관심을 갖고 연구하기 시작했어요. 인물
을 묘사하는 기술, 완벽한 대화, 그 풍자적 기질에 매료되
어서 말이지요. 그녀의 이런 모든 면에 나뿐 아니라 다른
많은 사람들도 빠져들었어요. 그녀는 영미권에서 가장 인
기 있는 고전 소설가이지요.

Q 오늘날 오스틴 열풍이 부는 이유가 뭐라고 생각하시나요?

A · 오스틴은 대학에서 학자들이 연구하고 가르치는 고전 소설가인 동시에, 단지 읽는 즐
거움을 위해서 책을 집어 드는 평범한 사람들, 즉 '일반 독자들'에게도 매력적인 작가라
는 점에서 아주 독특한 존재예요. 오스틴은 문학 비평가들의 칭송을 받을 만한 뛰어난
점이 있어요. 그녀의 작품은 굉장히 인기가 있지만 저작권 시비에 휘말릴 염려가 없기
때문에 누구든지 그녀의 작품을 각색해 영화 대본을 쓸 수 있고, 그 훌륭한 문장들과
대사들을 원하는 만큼 따서 쓸 수 있지요. 마찬가지로 후속편을 쓸 수도 있고 패러디
물을 쓸 수도 있어요. 하지만 착각해서는 안 돼요. 진짜 제인 오스틴은 단 한 명만 있을

뿐이니까요. 수십 년 뒤에도 여전히 대학생들과 일반 독자들은 『엠마』를 읽을 테지만 수많은 후속편들은 곧 잊히겠지요.

Q 이제 막 제인 오스틴을 발견한 이들에게 해주고 싶은 조언이 있다면?

A · 우선, 초보자들에게 제인 오스틴 소설을 각색한 영화나 TV 드라마를 보지 말라고 말하고 싶어요. 대부분의 대본 작가들은 자신이 제인 오스틴보다 더 나은 작가라고 생각하는 경향이 있거든요. 예를 들어 《마스터피스 시어터^{Masterpiece Theatre}》 시리즈의 〈맨스필드 파크〉를 한번 보세요. 패트리샤 로제마^{Patricia Rozema} 감독의 〈맨스필드 파크〉가 평단과 흥행에서 모두 실패한 것에서 뭔가 배웠어야 한다는 아쉬움이 들 겁니다. 그리고 다음과 같은 순서로 오스틴 소설을 읽으라고 추천하고 싶어요. 『오만과 편견』, 『설득』, 『엠마』, 『노생거 사원』, 『맨스필드 파크』, 그리고 『이성과 감성』의 순서로요. 이런 순서로 읽으면 그리 쉽지 않은 오스틴 소설의 단어와 문장에 점차 익숙해질 거예요. 점차 오스틴 소설이 가진 '이야기'의 성격을 알아갈 수 있고요. 또한 독자는 오스틴 소설이 매우 풍자적이고 아이러니하다는 것을 늘 염두에 두어야 합니다. 그래야 오스틴 소설의 서술을 잘 이해할 수 있어요.

Q 책을 쓰면서 오스틴에 대한 일종의 책임감 같은 걸 느끼셨나요?

A · 이전에는 상업적 목적으로 책을 출간한 적이 없었어요. 이 책의 원고를 요청받았을 때, 나는 독자들이 줄거리 요약 같은 걸 필요로 할 거라고는 생각하지 않았어요. 그 대신에 당대의 독자들이었다면 즉시 이해할 수 있었을 법한, 소설의 문화적인 맥락을 좀 더 확실하게 설명해야겠다고 생각했지요. 오스틴은 인간의 본성에 관한 글을 썼어요. 사람들은 변하지 않지만 사회 규칙은 변하지요. 오스틴 독자들은 오스틴이 살았던 당시의 규칙을 알아야 해요. 그래야 플롯과 인물들이 이해되지요. 독자로 하여금 소설을 좀 더 명확히 이해하도록 돕는 것, 이것이 바로 내가 책을 쓰면서 하고 싶었던 거예요.

Q 책을 쓰면서 오스틴이나 그녀의 소설에 대해 가장 놀라웠던 점은 무엇이었나요?

A · 오스틴 소설의 영화나 TV 드라마, 라디오 버전이 너무나 많다는 사실에 놀랐어요.

A • 제인 오스틴의 오빠인 에드워드는 아버지의 부유한 사촌인 토마스 나이트 부부에게 입양되었어요. 나이트 부부는 햄프셔와 켄트에 넓은 영지를 소유하고 있었는데, 자식이 없었던 그들은 그 저택이 나이트 가문에 계속 물려지기를 원했지요. 햄프셔에 있는 영지는 약 270에이커에 달하는 곳으로, 그곳에는 역사가 엘리자베스 1세 때까지 거슬러 올라가는 초튼 저택이 있습니다. 나이트가 사람들이 대를 이어 영지와 저택을 물려받으면서 저택 유지비용과 세금을 감당할 수 없게 되었어요. 하마터면 골프 리조트로 변할 뻔했는데, 북미 제인 오스틴 협회의 설립자인 샌디 러너Sandy Lerner가 남편과 함께 1990년대 중반에 초튼 저택을 사들였어요. 샌디는 최상의 건축가들과 조경 전문가들을 고용해서 영지와 저택을 복원했고, 역사적 가치가 있는 오래된 저택에 적용되는 영국의 다양한 보존법을 늘 엄수했지요. 샌디는 이 초튼 하우스를 초기 영국 여성 작가 연구를 위한 초튼 하우스 도서관으로 만들었어요. 오스틴에게 이런저런 방식으로 영향을 주었던 여성 작가들을 연구하기 위한 것이었지요. 초튼 하우스 도서관은 지금 학자들을 위한 최상의 연구 도서관이 되었습니다. 오스틴 시대의 방식대로 완벽히 복원된 그곳은 정원과 조경을 연구하는 역사가들에게 훌륭한 정보를 제공하고 있어요. 저택 자체로도 건축가들의 꿈이라 할 수 있어요. 수 세대에 걸친 다양한 스타일을 보여주기 때문이지요.

A • 초튼에 있는 오스틴의 집을 꼭 방문해 보세요. 이곳은 원래 에드워드 소유 영지에 있는 토지 관리인의 집이었는데, 그가 자기 어머니와 두 노처녀 누이들(제인과 카산드라)을 위해서 1809년 새로 단장한 집이에요. 그 집은 이제 박물관이 되었어요. 그곳에서 우선 초튼 하우스 도서관까지 걸어가서 성 니콜라스 교회를 둘러보세요. 그 교회 뒤에는 제인 오스틴의 어머니와 언니 카산드라의 묘소가 있습니다. 초튼 저택은 이제 연구를 위한 도서관이 되었기 때문에 기본적으로 일반인의 입장을 제한하지만 다른 도서관들처럼 허가를 받는다면 열람도 가능합니다. 그곳에서 차로 20분 정도 거리에 있는 윈체스터 성당에도 가보세요. 윈체스터 성당은 오스틴의 묘지가 있는 곳이지요. 그리고 런던에는 오스틴이 쓰던 책상이 브리티시 라이브러리에 전시되어 있습니다. 이 방문지들에 관

해서는 『바보들을 위한 제인 오스틴 안내서』의 '오스틴 관련 10대 방문지–어떻게 갈 것인가'라는 챕터에 더 자세히 설명해 놓았습니다.

Q 오스틴 소설만 읽는 독서 클럽 멤버였던 적이 있나요?
오스틴 독서 클럽은 어떤 곳인가요?

A · 아니요. 그런 독서 클럽에 가입한 적은 없어요. 하지만 콜로라도 대학에서 18세기 말부터 19세기 초까지의 문학을 가르치면서, 나는 정기적으로 4학년 학생들의 오스틴 소설 세미나를 지도해 왔어요. 이 과목은 인기가 많았고 다양한 배경을 지닌 학생들이 그 수업에 들어왔지요. 가장 흥미로웠던 점은 학생들이 오스틴 소설에 어떻게 반응하는지를 보고 듣는 것이었어요. 이 과목을 수강하는 학생들은 퇴역 군인에서부터 21살짜리 여학생, 뒤늦게 대학생의 꿈을 이룬 중년 가정주부에 이르기까지 다양한 출신으로 이루어져 있었기 때문이지요. 이 과목에서 우리는 작품이 쓰인 순서대로 읽고 작품에 관해 아주 열정적으로 토론하게 되는데요, 학기 중반쯤 되면 학생들은 오스틴의 스타일과 기술에 대해 상당히 수준 높게 이야기할 수 있어요. 흥미로운 점은 이전에 오스틴을 영화나 TV 드라마로 먼저 접했던 학생들도 모두 소설을 더 좋아하게 된다는 거예요.

Q 왜 제인 오스틴 협회에 가입하셨나요?

A · 북미 제인 오스틴 협회는 오스틴 작품을 사랑하고 존경하는 약 3천 명(대부분 일반인들)의 회원들로 구성되어 있어요. 미국과 캐나다에 60여 개 지부가 있어서 가까운 지역에 사는 오스틴 팬들끼리 모여서 오스틴에 관해 토론을 할 수 있지요. 회원들은 매년 3번 발행되는 회보를 받고요, 거기다 『설득Persuation』이라는 잡지도 추가로 받습니다. 이 잡지에는 오스틴과 그녀의 작품들, 그녀가 살았던 시대에 관한 기사들이 실려 있죠. 회원은 사이트www.jasna.org에서 제인 오스틴 협회 소식을 들을 수 있습니다.

Q 오스틴의 생일은 어떻게 기념하시나요?

A · 협회의 지역 그룹과 함께 12월 16일을 기념해요. 오스틴 생일을 축하하는 차를 만들어서 그녀를 위해 건배를 하지요.

Q '제인추종자Janeite'란 무엇인가요? 혹시 그 이름이 제인 오스틴의 성을 딴 '오스틴 추종자' 같은 것으로 바뀌어야 한다고 생각하지는 않나요?

A • '제인추종자'란 단어는 1895년에 만들어졌어요. 무조건적으로 제인 오스틴을 숭배하는 사람을 뜻해요. 사람들이 오스틴을 그냥 '제인'이라 부르는 것은 참 흥미로운 일이에요. 셰익스피어를 '윌리엄'이라고 부르거나 헤밍웨이를 '어니스트'라고 부르지는 않잖아요? 그만큼 독자들이 오스틴에게 친밀감을 느낀다는 의미겠지요. '제인추종자'라는 이름에는 독자들이 오스틴에 대해 느끼는 독특한 정서가 반영되어 있다고 생각해요. 오스틴을 제인이라고 부르는 것이 잘못되었다고 생각하지 않아요. 물론 나는 오스틴이라고 부르지만요. 그리고 제인추종자들이 오스틴의 작품을 좀 더 깊이 이해해서 오스틴에 관해 박식한 찬미자가 되기를 바라지요.

Q 제인 오스틴을 깊이 연구하시면서 뭔가 자신에 대해 새로운 발견 같은 것을 하신 적이 있나요? 말하자면 오스틴을 매개로 한 자아 발견 같은 것 말이지요.

A • 처음에는 몰랐는데, 대학에서 거의 30여 년을 가르치다 보니, 학생들이 내게서 엘리자베스 베넷을 본다고 말하더군요. 왜 그러냐고 물으니까, 내가 자신감이 넘치고 유머감각이 있고 생각의 회전이 빠르기 때문이라는 거예요. 그러고 보니 브라운대 영문학 대학원 1학년에 다닐 때가 생각나더군요. 그때 대학원 학장님이 학생들을 한 사람씩 면담했는데, 학장님께서 저를 두고 그러시더라고요. 내가 "믿을 수 없을 정도로 자기 확신에 차 있다"고요. 그때 일을 돌이켜 보니, 엘리자베스 베넷의 가장 본질적인 성격은 바로 침착함인 것을 깨달았지요. 이후로 나는 『오만과 편견』을 가르칠 때 학생들에게 '오만'은 좋은 점과 나쁜 점 모두를 가지고 있다고 늘 말해요. 물론 오만은 기독교에서 치명적인 일곱 죄악 중 하나지요. 하지만 자신의 가치를 소중하게 여기는 태도는 삶에서 매우 중요해요. 나는 학생들이 '믿을 수 없을 정도로 자기 확신에 차 있기'를 바라요.

이성과 감성

SENSE AND SENSIBILITY

오스틴 소설들 중에 제일 먼저 출간된 『이성과 감성』은 불행히도 '이성 대 감성'으로 읽혀져 왔다. 어떤 이들은 '『이성과 감성』 대 『오만과 편견』'이라는 대립 구도를 설정하기도 했다. 마치 『이성과 감성』이 『오만과 편견』의 여동생이라도 되는 듯이 말이다. 우리는 이런 대립구도가 모두 잘못된 설정이라고 생각한다. 엘리노어와 마리안느가 서로 의지하는 아주 친밀한 자매인 것처럼, 차가운 이성과 낭만적 감성 어느 것도 혼자서는 완벽하지 않다는 것을 소설은 말하고 있다. 이성과 감성은 각각 서로의 특성을 이해하고 서로의 행동에서 진실함이나 적절한 면을 발견할 수 있어야만 행복한 조화를 이룬다.

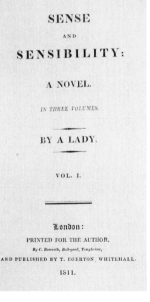

SENSE

AND

SENSIBILITY:

A NOVEL.

IN THREE VOLUMES.

BY A LADY.

VOL. I.

London:
PRINTED FOR THE AUTHOR,
By C. Roworth, Bell-yard, Temple-bar,
AND PUBLISHED BY T. EGERTON, WHITEHALL.
1811.

1811년에 출간된 『이성과 감성』 초판 속표지

만약 오스틴의 아버지가 1797년 인쇄업자에게 건네준 원고가 정말로 『오만과 편견』의 초기 버전이었다면(그 인쇄업자는 원고를 보지도 않고 거절해 버렸다고 한다) 『이성과 감성』은 『오만과 편견』보다 인쇄업자에게 수월하게 받아들여진 첫 소설이다. 물론 먼저 인쇄되었다는 사실이 더 훌륭한 소설임을 증명하지는 않지만 『이성과 감성』은 성공을 누렸고 2년 안에 2쇄 출간에 들어갔다. 이 소설은 인간 본성에 관한 사실적 묘사로 출간 당시부터 지금까지 칭송을 받아왔다.

『이성과 감성』이 지금까지 부당한 대우를 받아왔다는 주장은 이 소설에 매우 어울리는 설정이다. 이 소설 자체가 바로 부당함에 대한 이야기로 시작하고 있기 때문이다. 대시우드 부인은 남편이 죽은 후 세 딸—엘리노어, 마리안느, 그리고 마가렛—과 함께 집에서 쫓겨날 위기에 처했다. 대시우드 씨의 전처소생인 상속자 존 대시우드와 그의 심술궂은 아내 패니가 그들이 집을 비워 주기만 기다리고 있기 때문이다. 패니 대시우드는 귀가 얇은 남편을 이리저리 휘두르면서 그가 아버지에게 한 약속, 즉 대시우드 부인과 이복 여동생들을 보살펴 주겠다는 약속을 지키지 말라고 꼬드긴다. 존이 처음에 도와주기로 마음먹었던 3천 파운드라는 액수가 이러저러한 설득을 거쳐서 결국은 한 푼도 도와주지 않는 것으로 귀결되는 장면은 아마도 영국 소설 역사상 욕심이 어떻게 얇은 귀를 설득하는지를 보여주는 가장 인상적인 장면 중 하나일 것이다.

노랜드 영지의 새 주인인 존과 패니 부부를 공손하게 접대하는 일은 온전히 엘리노어에게 맡겨진다. 마리안느와 대시우드 부인은 "완전히 슬픔에 몸을 맡긴 채, 생각나는 모든 추억마다 비통함을 더하며, 이 상실을 보상할 길은 앞으로 절대 없을 거라고 말하면서" 비련의 드라마를 연출하고 있을 뿐이다. 열세 살밖에 안 된 마가렛은 소설에서 아주 미미한 부분을 차지한다. 대시우드 부인은 맏딸 엘리노어에게 무슨 좋은 일이 생기지 않을까 기대하며, 집을 떠나지 않고 가능한 한 오래 미적거린다. 패니 대시우드의 남동생 에드워드 페라즈가 등장하면서 엘리노어와의 사이에 미묘한 일들이 벌어지기 시작하자, 대시우드 부인은 두 사람이 곧 결혼하리라는 희망에 가득 찬다.

당시 특정한 직업이 없던 에드워드는 목사가 될까 생각중이었다. 그가 목사가 되면, 그리고 엘리노어가 그와 결혼한다면, 그들은 그리 넉넉하지는 않지만 그럭저럭 먹고살 만은 할 것이다. 마리안느의 취향에는 훨씬 못 미치지만 에드워드와 엘리노어 간에 애정 표현이 오가기도 한다. 하지만 둘의 관계가 못마땅한 패니 대시우드는 대시우드 부인에게 에드워드가 더 좋은 조건의 아가씨와 결혼할 것이라고 말한다.

대시우드 부인의 친척인 존 미들턴 경이 바튼 코티지를 거처로 제공하자 대시우드 부인과 그 딸들은 "이기적인 패니의 눈에 자신의 것보다 두 배는 더 멋져 보이는 도자기 세트"를 들고 이사를 간다. 하지만 막상 바튼 코티지에 도착하고 보니 존 경의 집 가까이에 위치해 있다는 불편함이 있었다. 식사 때건 티타임이건 자주 존 경의 집에 불려가야만 했던 것이다. 바튼 파크에는 존 경의 아내인 레이디 미들턴, 그녀의 어머니인 제닝스 여사, 그리고 브랜든 대령이 살고 있다. 브랜든 대령은 존 경의 아주 친한 친구이며 근처에 있는 저택의 소유자다.

바튼 파크에서 사람들 입에 자주 오르내리는 화젯거리는 마리안느를 향한 브랜든 대령의 애정이 점차 커져 간다는 것이다. 하지만 마리안느는 그에게 전혀 관심이 없는데, 소설에 묘사된 브랜든 대령을 상상하면 충분히 이해할 만하다. 그러던 어느 비오는 오후, 마리안느는 마가렛과 산책을 하다가 언덕에서 굴러 넘어진다. 그 순간 미지의 청년이 쏜살같이 달려오더니 양 손으로 그녀를 안고 집으로 데려다 준다. 그 청년은 바로 존 윌로비로, 근처 앨른햄에 있는 어느 부유한 친척집에 머물고 있는 '거의 완벽에 가까운' 바이런적 주인공이었다. 둘은 즉시 서로에게 완전히 반해 버린다.

마리안느와 마가렛과 대시우드 부인은 이제 오로지 윌로비에게만 눈길을 보내지만 엘리노어는 마리안느의 지나친 열정에 주의와 경고를 보낸다. 그러던 어느 날 바튼 파크의 사람들이 휘트웰로 소풍을 가게 되는데, 브랜든 경이 다급한 편지를 받고 서둘러 떠나 버리자 소풍은 취소되고 만다. 브랜든 대령 본인은 아무런 설명도 하지 않았지만 제닝스 여사는 아마도 그 편지가 브랜든의 사생아인 윌리엄스 양에 관한 것일 거라고 엘리노어에게 이야기한다. 마리안느와 윌로비는 바로 마차를 타고 사라져 버리고, 아무 연락도 없이 한참 늦게 돌아온다. 윌로비는 앨른햄 저택을 소유한 친척이 죽으면 곧 자기가 상속을 받게 된다고 말하곤 했는데 바로 그 집에 갔다 온 것이다. 그들은 함께 소풍을 간 일행에게 언질을 주지 않았음은 물론, 심지어

저택 소유자인 사촌의 허락도 받지 않은 채 그곳에 다녀왔다. 이것은 둘의 관계를 아주 충격적으로 만방에 공표하는 것이었다. 마침내 윌로비는 대시우드 부인과 엘리노어가 바튼 파크로 간 사이에 마리안느와 대화를 나눌 기회를 잡는다. 대시우드 부인은 집에 돌아오면서 마리안느가 윌로비에게 청혼을 받았을 거라고 기대하지만, 눈물을 흘리며 방으로 뛰어 들어가는 마리안느를 볼 수 있을 뿐이다. 윌로비는 그 부유한 친척의 명령에 따라 즉시 런던으로 돌아가야만 했다.

윌로비가 갑작스레 떠나 버리자 마리안느는 깊은 절망에 빠지고, 엘리노어는 깊은 생각에 빠진다. 그들은 과연 결혼 약속을 했을까, 혹은 하지 않은 것일까? 마리안느에게 직접 물어볼 수도 없는 엘리노어는 몹시 걱정스러워한다. 마리안느가 격정적인 슬픔을 쏟아내고 있을 때, 에드워드 페라즈가 도착한다. 에드워드가 머무는 1주일 동안, 엘리노어는 그와의 재회에 무언가 기대를 걸어 보지만 그의 태도에 결국 낙담한다. 에드워드가 떠났을 때, 엘리노어는 마리안느처럼 슬픔과 고독에만 빠져 있지 않고 일부러 사람들과 만나고 할 일을 찾는다.

이 소설에서 엘리노어와 마리안느는 각기 이성과 감성을 대표한다. 둘 중 어느 누가 완벽하다고 주장할 수는 없다. 학자들 사이에 계속 논란이 되는 문제는 엘리노어가 나중에 얼마나 감수성을 지니게 되고, 마리안느는 얼마나 이성적인 면모를 지니게 되느냐다. 『제인 오스틴의 일생Jane Austen : A Life』을 쓴 캐롤 쉴즈Carol Shields는 "두 사람은 단순히 서로 반대되는 캐릭터에 그치는 것이 아니라 진정한 자매와 같은 속성을 띤다."고 주장한다. 친자매가 그러하듯이 이들은 서로의 부족함을 채워 주는 상호보완적인 관계인 것이다.

오스틴은 이 소설에 몇 가지 긴장감 있는 소재를 심어 놓았다. 브랜든 대령과 에드워드, 그리고 윌로비와 같은 인물들의 미스터리한 행동들이 바로 그것이다. 저택 상속인인 남자 때문에 집을 잃은 소설 속 여성들은, 이후 그들의 삶에 등장해 미스터리한 행동을 보이는 다른 남자들 때문에 안전과 자신감마저 빼앗긴다. 이제 오스틴은 대시우드가* 사람들에게 몇몇 새로운 인물들을 더 소개함으로써 그들의 삶을 더욱 복잡하게 만든다. 새로운 인물들 대부분은 치사하고 무례하고 천박하지만, 그것은 그들에 대한 우리의 첫인상일 뿐이다! 이들의 등장으로 인해 엘리노어와 마르안느는 불편한 상황에 처한다. 비록 우리 독자들한테는 아주 재미있는 상황으로 보이지만 말이다. "레이디 미들턴은 정말 사랑스러운 여성이야!"라는 말에 공감할 독자는 거의 없을 것이다. 이렇게 재미없고 활기 없는 레이디 미들턴을 대시우드 자매는 어떻게 대했던가? "마리안느는 침묵했다. 그녀에게 있어 자신이 느낀 대로 솔직하게 이야기하지 않는다는 건, 비록 아무리 사소한 일일지라도 불가능했다. 그래서 아주 공손하게 거짓말을 해야 하는 임무는 늘 엘리노어의 몫이 되었다."

이후 등장하는 야비하고 천박하고 무례한 사람들은 바튼 파크 사람들과 어떻게 친해질 수 있는지를 알고 있는 것 같다. 우선 제닝스 부인의 또 다른 딸인 파머 부인과 그녀의 남편 파머 씨가 그렇다. 또한 제닝스 여사가 엑세터에서 우연히 만나 바튼 파크로 초대한 친척

인 스틸 양 자매 역시 그런 인물들이다. 결국 바튼 코티지의 여성들과 바튼 파크의 손님들이 만나게 된다. 그 결과는? 온통 따분한 대화들뿐이다.

앤 스틸 양은 무식하고 천박하다. 루시는 동생 앤의 저속한 천박함을 가리고 싶었지만 아, 그러기에는 그녀가 받은 교육이 너무나 얄팍했다! 그러나 더 끔찍한 것은, 서로 알게 된 지 불과 얼마 되지 않았는데도 루시가 엘리노어에게 비밀 약혼에 관해 털어놓았다는 것이다. 이야기가 점점 중심으로 파고들어 가면서 열기는 더 뜨거워진다(소설 후반에 나오는 마리안느의 열병은 소설의 열기가 얼마나 뜨거워지고 있는지를 우리에게 말해 주는 장치이기도 하다!) 런던에 머무는 동안, 엘리노어와 마리안느는 올케 패니로부터 무시당하고, 이복오빠 존에게서는 돈에 관한 질문 세례를 받고, 약혼 문제로 좌절을 경험하며, 애인과의 야반도주 후 배신의 이야기를 알게 된다.

하지만 런던에서 겪은 대시우드 자매의 고난은 여기서 끝나지 않는다. 그들은 여전히 스틸 자매와의 만남을 견뎌내야 하고, 에드워드의 동생, 로버트 페라즈를 만나야 한다.

로버트 페라즈는 이 소설에서 가장 흥미로운 조연 중 한 명이다. 한 평론가는 그에게서 오로지 스타일 자체에 은밀한 관심을 쏟는 오스틴을 발견해 냈다. 그가 이쑤시개 통을 주문하는 장면에서 드러난 지극히 세밀한 관찰이 이를 잘 보여준다. 그가 "상아, 금, 그리고 진주"로 된 다양한 "크기와 모양, 장식"이 있는 이쑤시개 통을 선택하는 데 무려 15분이나 걸렸다. 하지만 우리가 로버트 페라즈를 주목할 이유가 단시 이것만은 아니다. 로버트 페라즈가 흥미로운 점은 엘리노어가 진지하게 토론하거나 대꾸할 가치를 전혀 느끼지 못하는 거의 유일한 인물이라는 데 있다.

소설이 끝날 무렵에는 많은 것들이 정리된다. 바튼 홀의 수다쟁이들인 제닝스 부인과 미들턴가 사람들에게는 다행스럽게도, 결혼한 엘리노어나 마리안느 대신에 마가렛이 대시우드 부인과 함께 바튼에 남는다. 이제 이들은 훌쩍 성숙한 마가렛을 두고 서로 눈을 찔끔거리고 지분대며 '결혼 만들기' 놀이를 이어갈 것이다.

월로비 vs 브랜든

원고측, 윌리엄 갤퍼린(William Galperin)

배심원 여러분. 이 법정에서 여러분은 브랜든 대령의 행위에 관해 증언을 들었습니다. 증언의 내용인즉슨, 그는 1797년 어느 날 마리안느 대시우드와 존 월로비를 떼어놓고 자신이 마리안느를 얻기 위해 의도적인 계획을 세우고 이를 실행에 옮겼다는 것입니다. 증언을 요약하면 다음과 같습니다.

1797년 11월 6일 월요일 저녁, 월로비는 마리안느를 향한 "그의 애정과 기쁨을 명백히 선언"하는 행동을 보여 줍니다. 하지만 다음 날 아침 그는 서둘러 마리안느를 떠나지요. 그가 일라이저 윌리엄스와 무슨 일이 있었다는 걸 알게 된 부유한 친척, 엘른햄의 소유주인 스미스 여사가 그와 동행했고요. 그야말로 월로비는 '발각'된 것입니다. 월로비가 증언한 바와 같이 말이지요. "나에 대한 스미스 부인의 호의와 내가 지금 하고 있는 연애를 망칠 이유가 있는 어떤 지인이 스미스 부인에게 밀고한 거지요. 누가 그런 밀고를 했는지 알 수는 없습니다." 이 밀고로 무슨 일이 벌어졌는지! 윌로비에게 저택을 물려주려 했던 스미스 여사는 그가 어느 여성을 임신시켰다는 것을 알고는 그녀와 결혼하면 용서하겠다고 했습니다. 이 일로 인해 윌로비는 계획을 바꾸게 됩니다. 하지만 보세요. 그 당시에는 윌로비마저도 스미스 여사가 어떻게 이 일을 알게 되었는지를 알지 못했습니다. 윌로비가 더 이상 스미스 여사의 호의를 받지 못하도록 해야 할 이유가 있는 '어떤 지인'이라? 아, 윌로비는 좀 더 가까운 곳을 살펴봤어야 했어요. 윌로비가 스미스 여사의 신뢰를 잃게끔 하고 싶은 사람이 가까이에 있지 않았나요? 밀고를 할 만한 사람이 정말 가까이에 있지 않았나요?

브랜든 대령이 그의 피후견인인 일라이저가 임신한 상태로 버려졌다는 사실을 알게 된 것은 10월 30일 월요일이었습니다. 물론 그는 이 이야기를 듣고 서둘러 떠났지만 그 책임이 바로 윌로비에게 있다는 길 스미스 여사에게 알려줄 충분한 시간이 있었습니다. 편지를 쓰거나 혹은 방문해서 스미스 여사에게 알려주었을 수 있지요.

다시 생각해 봅시다. 윌로비는 자신의 약혼녀 소피아 그레이 양이 "윌로비가 데본셔에 있는 어떤 젊은 아가씨를 좋아한다."는 '확실치 않은 이야기'를 들었다고 진술했습니다. 그리고 이 이야기가 스미스 여사의 귀에 들어가서 약혼녀에게로 흘러간 것이라고 말했습니다.

신사 숙녀 여러분, 당시 이 이야기를 알고 그것을 누설할 필요가 있었던 사람은 과연 누구일까요? 소피아가 런던에 있던 당시에 함께 런던에 있으면서 그 이야기를 전할 수 있었던 사람은 누구일까요?

범죄는 오로지 네 가지 요소에 의해 성립됩니다. 동기, 그것을 할 능력, 하고자 하는 의지, 그리고 기회지요.

첫째, 윌로비의 비밀을 사람들에게 말할 동기를 가진 사람은 누구일까요? 브랜든 대령입니다. 그는 결투를 신청할 만큼 윌로비에게 화가 나 있었고 또한 마리안느를 사랑했습니다. 이 일이 벌어지기 직전인 10월경에 마리안느는 그를 사랑하지 않았고 그를 사랑할 수도 없다고 선언했지요. 그에게는 이 정보를 누설하고 윌로비와 마리안느를 헤어지게 할 두 가지 동기, 즉 분노와 연모가 있었습니다.

둘째, 그 일을 할 능력이 있는 사람은 과연 누구일까요? 브랜든 대령이지요. 이 치명적인 정보를 가지고 있던 '어느 지인'은 바로 브랜든 대령이었던 겁니다.

셋째, 그 일을 할 의지가 있는 사람은 누구일까요? 브랜든 대령입니다. 모든 사람들 중에서 군인이었던 브랜든만이 점잖은 사람이라면 결코 하지 않을 일을 할 만한 사람입니다. 그는 기꺼이 법을 어기고 결투를 하려고 했지요. 그것에 비하면 적절한 사람에게 적절한 순간에 정보를 슬쩍 흘리는 편이 얼마나 더 쉬운 일입니까!

마지막으로, 그 일을 할 기회가 있었던 사람은 누구일까요? 편지를 쓰거나 이웃을 방문할 기회, 런던에서 소피아 그레이 양을 만날 기회가 있던 사람은 과연 누구일까요?

이 모든 질문에 대한 대답은 바로 브랜든 대령으로 모아집니다.

누가 스미스 여사에게 정보를 흘렸을까요?

누가 소피아에게 그 일을 알려주었을까요?

다름 아닌 바로 브랜든 대령이지요.

여기 있는 모든 사람들 중에서 이 일을 할 수 있고, 또 동기가 충분했던 사람은 오로지 브랜든 대령밖에는 없습니다.

사실 윌로비는 브랜든 대령이 그 정보를 소문내고 다닌다는 것을 알고 있었습니다. 윌로비가 엘리노어에게 "그 설명을 누구한테 들었는지 기억하세요."라고 말하지 않았습니까?

브랜든 대령이 했으리라 짐작되는 일은 비단 이것에 그치지 않습니다. 브랜든 대령은 왜 마리안느에게 직접 이 사실을 말하지 않았을까요? 마리안느가 윌로비와 더 깊은 사이가 되기 전에 말이지요. 스미스 여사나 소피아에게는 이 중요한 정보를 기꺼이 말했으면서요. 브랜든 대령은 마리안느를 처음 본 순간부터 그녀를 원했습니다. 그가 마리안느를 위해 최선을 다하려 했다면, 그리고 마리안느를 윌로비로부터 보호하는 것이 최선이라고 믿었다면, 그는 왜 미리 마리안느에게 윌로비에 대해 말하지 않았을까요? 마리안느가 아니더라도 엘리노어, 아니면 대시우드 부인에게라도 말할 수 있었을 텐데요?

아마도 짐작컨대, 그는 마리안느에게 두 번째 사랑이 성공한다는 걸 증명하고 싶었을 수도 있습니다. 아니면 증명할 필요가 있었을지 모르지요. 윌로비와의 첫사랑에 쓰디 쓴 실패를 맛본 마리안느가 결국 자신에게 올 것을 바라고서, 혹은 계산하고서 이 사실을 굳이 말하지 않았던 건 아닐까요?

그는 뭔가를 직접적으로 할 수 있었음에도 굳이 하지 않았습니다.

그러고는 런던에 와서 자신이 교묘하게 꾸며 놓은 일의 결과를 느긋이 관찰했지요.

사실 그는 참을성이 있는 사람이 아니라 계산적인 사람입니다!

그는 관대한 사람이 아니라 남을 잘 조종하는 사람이지요.

바로 브랜든 대령이 그 사건을 꾸몄습니다. 소설에서 그가 이후에 보이는 행동들이 이를 증명합니다. 브랜든은 왜 에드워드 페라즈에게 일자리를 주겠다고 직접 말하지 않았을까요? 에드워드에게 델라포드의 목사직을 제공하면서 결혼하지 말 것을 조건에 붙인 이유는 뭘까요? 에드워드가 결혼하지 않은 상태로 남아 있으면 엘리노어가 사제관에 드나들 것이고, 그러면 마리안느도 엘리노어와 함께 사제관에 오게 되지요. 엘리노어는 절대 혼자서는 그곳에 가지 않을 테니까요. 왜 브랜든 대령은 자신이 직접 에드워드에게 목사직을 제안하지 않고 엘리노어를 통해서 했을까요? 역시 엘리노어와 에드워드를 더욱 가까워지게 함으로써, 덩달아 마리안느를 가까이서 보려는 속셈이었지요. 그는 왜 그토록 봉급을 짜게 주었을까요? 에드워드가 결혼하지 못하도록 하기 위해서였지요. 여기에는 암묵적인 약속이 존재합니다. 아니, 일방적인 협박이라고 해야 더 맞을 것 같군요. "만약 내가 그에 대해서 지금과 다르게 생각한다면……" 운운하면서 말이지요. 에드워드는 어떤 식으로든 브랜든 대령의 마음에 들게 행동할 필요가 있었습니다. 엘리노어가 에드워드의 약혼을 깨뜨린다면 브랜든 대령은 아마 미래에 많은 도움을 줄 겁니다. 생각해 보세요. 브랜든 대령은 엘리노어에게 참 많은 약속을 했지요.

몇몇 사람들은 브랜든 대령에 대해 의심을 품습니다. 때로 제닝스 여사도 브랜든 때문에 기분이 상하기도 하지요. 존 대시우드도 그렇고요. 우리는 이미 존 대시우드가 브랜든의 동기에 대해 의아해한 것을 들은 바 있지요.

단적으로 말해서 브랜든 대령은 트러블 메이커입니다. 그는 진실한 사랑을 깨뜨리고, 보이지 않는 곳에서 자신의 권위와 정보를 이용해서 다른 사람들의 인생을 휘두르지요.

자, 신사 숙녀 여러분, 어떻게 생각하십니까? 브랜든 대령은 유죄인가요, 무죄인가요?

조앤 클링겔 레이의 변론

배심원 여러분, 단지 외모만으로 누군가에게 유죄 판결을 내린다거나 하지 않도록 조심하십시오. 네, 여러분은 방금 브랜든 대령이 입은 칙칙한 플란넬 코트와 젊지도 밝지도 않은 그의 외모에 관해 들었습니다. 또한 우리는 그가 "얼마나 엄숙하고 따분한지"에 관해서도 들었습니다. 하지만 이런 것들이 무고한 사람을 기소할 이유가 됩니까? 브랜든 대령이 9월에 마리안느를 만난 순간 사랑에 빠졌다는 것을 다름 아닌 제닝스 여사가 믿고 있습니다. 여러분도 알다시피 그녀는 "연애감정을 단번에 알아채는" 아~주 비상한 재능이 있는 사람입니다.

브랜든 대령은 살아오면서 아버지와 형을 비롯한 많은 사람들에게서 심한 대우를 받았습니다. 형은 그가 사랑하는 여자를 빼앗았지요. 그는 여자를 쉽게 건드리고 차버리는 동네 불량배들의 작태를 똑똑히 본 적이 있지요. 그가 사랑했던 일라이저와 그가 돌봐온 그녀의 사생아가 바로 희생자들이지요. 되돌아보면, 일라이저가 결국 그의 형과 결혼하게 되었을 때, 젊은 브랜든은 근무지를 굳이 바꿔가며 영국을 떠나기까지 했어요. 일라이저와 형 곁에서 사라져 줌으로써 그들을 행복하게 만들기 위해서였지요. 젊은 시절에도 그는 여자에게 관대하고 헌신적인 사랑을 베풀 줄 아는 사람이었습니다. 심지어 그녀와 그녀의 남편이 행복해지기를 바라기까지 할 정도로요.

그 반면에 돈 때문에 사랑을 버리고 스미스 부인의 요구에 기꺼이 부응한 사기꾼 불량배 월로비가 도대체 어떻게 피해자란 말입니까? 네, 우리 모두는 그가 클리블랜드에서 했다는 말에 감동했지요. 하지만 그 말 속에서 확인할 수 있는 것이 대체 무엇입니까? 브랜든 대령이 정말로 자기에게 편지가 온 것처럼 꾸며서, 휘트웰로 소풍 가기로 한 바로 그 날에 갑자기 떠났다고 결론지을 수 있을까요?

월로비가 브랜든에 대해 마리안느에게 어떻게 말했는지 생각해 봅시다. 월로비는 그가 맥없어 보인다고 흉을 보지요. 사실 그때 브랜든 대령은 자신이 돌봐 주는 일라이저 윌리엄스가 8개월이나 행방불명 상태였기 때문에 걱정하느라 병이 들 지경이었어요. 이런 상황에서는 맥없어 보이는 것이 당연하지 않나요? 월로비는 어떻게 일라이저를 쏙 빼놓고 이야기하는지, 정말 충격이 아닐 수 없습니다. 그녀를 유혹하고 배신하고 버린 사람이 바로 월로비 아닌가요? 게다가 월로비는 스미스 여사의 요구에 순순히 응했지요. 무엇 때문에? 돈 때문이지요.

에드워드가 델라포드에서 교구직을 제안 받고 나서 결혼하지 않고 혼자 살기로 결심한 것에 대해 생각해 봅시다. 브랜든 대령이 이런 제안을 한 이유는 에드워드를 향한 엘리노어의 사랑을 알고 있었기 때문 아닐까요? 에드워드의 잘못된 결혼을 뒤로 늦춤으로써 이 복잡한 상황으로부터 자유롭게 만들어 엘리노어와 결혼시키려는 것이 그의 의도 아니었을까요?

우리, 윌로비를 제대로 규정해 봅시다. 윌로비는 바로 소시오패스 sociopath , 반사회적 인간입니다. 우리는 이미 반사회적 인간에 대한 의학적 정의를 들은 바 있습니다. 윌로비만큼 소시오패스의 특성을 집약적으로 보여주는 인물이 또 있을까요?

소시오패스에 대한 의학적 정의를 다시 한 번 되짚어 봅시다.

첫째, "소시오패스는 외향적이고, 입담 좋고, 심지어 매력적이기까지 하다." 윌로비는 이 모든 특성을 보여 주지요(대시우드가 여자들이 윌로비를 처음 만났을 때 어떤 인상을 받았는지 한번 떠올려 보세요).

둘째, "그들은 이기적이고 냉혹한 성적 행동을 드러낸다." 임신한 17세 소녀 일라이저에 대해 그가 얼마나 무신경했는지를 생각해 보세요. 그는 그녀가 자신이 어디에 있는지 알고 있었고 그에게 연락을 취할 수도 있었다고 주장했지요. "그녀가 상식적으로 알아낼 수도 있었다."고 하면서요. 이 '상식'이라는 것을 임신한 채 버림받아 겁에 질린 십대 소녀에게서 기대할 수 있을까요?

셋째, "소시오패스들은 책임감이 없다." 그가 일라이저가 낳은 아이를 책임지겠다고 한 번이라도 말한 적이 있나요? 전혀 없었지요. 원래 자신이 가진 재산도 있을 뿐더러 돈 많은 아내를 맞이하기까지 한 그가 자비롭게 행동하는 것이 그렇게도 불가능한 일이었을까요? 이는 다름 아니라 바로 자기중심적이고 이기적인 그의 반사회적 성향에서 비롯된 것이지요.

넷째, "소시오패스들은 자신의 고통에는 지극히 민감하다." 마리 안느의 편지를 읽을 때 "번개와 단도"가 심장을 공격했다고 그는 주장하더군요.

다섯째, "소시오패스는 이기적이고 공감하는 능력이 없다." "마리 안느가 이 세상 어느 여자보다도 나에게 더 소중하다"고 주장하던 그는 상황이 바뀌자 아주 무미건조하게 "그레이 양과 나 사이에 모든 일들이 결정되었다"고 말합니다. 그러고는 반성의 기미라곤 전혀 없이 아주 사무적인 태도로 그레이 양의 돈이 필요했다고 말하지요. 기생충 같은 생활방식이 소시오패스의 또 다른 특징이기도 합니다.

여섯째, "소시오패스는 스스로 피해자라고 주장함으로써 다른 이들의 관심을 얻는다." 윌로비는 은인인 스미스 여사를 교묘히 비난하고는 바로 그녀 때문에 자신이 좌절했다는 식으로, 자신을 피해자로 만듭니다. "그녀의 생활에는 한 점의 얼룩도 없고, 그녀의 생각은 너무나 틀에 박혀 있고, 그녀는 세상 돌아가는 일에 대해 잘 모르지요. 모든 것이 나와는 반대예요. 그녀는 고결한 도덕성을 지닌 아주 훌륭한 여성입니다. 그녀는 내가 일라이저와 결혼하면 내 과거를 용서해 주겠다고 했지요. 하지만 그럴 수는 없어요."

마지막으로, "소시오패스는 자기연민을 통해 자기만족을 추구한다." 월로비는 "즉각 엘리노어에게 세 번이나 동정을 구하며 …… 자신을 희생자로 그려 내지요."

이외에도 월로비의 소시오패스적 특성에 관한 수많은 예를 나열할 수 있습니다. 하지만 무엇보다도 그가 취하는 행동들 자체가 이를 가장 잘 보여 주지요. 우리는 엘리노어로부터 브랜든 대령이 아주 중요한 순간에 도움의 손길을 내밀 줄 아는 사람이라는 증언을 들었습니다. 엘리노어가 어머니도 없이 아픈 동생을 두고 곤경에 빠져 있을 때, 그는 자기가 가서 대시우드 부인을 데려오겠다고 나서지요. 그 반면에 월로비는 마리안느가 병에 걸려 생사를 헤매는 상황에서도 엘리노어가 '자신을 위해' 무엇을 할 수 있는지에만 관심을 갖지요.

배심원 여러분, 월로비가 예전의 연애사건 때문에 얼마나 슬퍼했는지에 초점을 맞춘 엠마 톰슨Emma Thompson의 해석*에 흔들리지 마세요. 가장 믿을 만한 증인인 제인 오스틴 자신이 말하고 있는 것을 기억하세요. 월로비는 "자신을 내세우고 즐기기 위해 살고 있다"고요.

우리는 작품을 통해 브랜든이 위급한 순간에 필요한 모든 일들을 주어진 시간 안에 신속히 처리해 낼 줄 아는 사람이라는 것을 알 수 있습니다. 과연 이 사람이 연인들을 갈라놓은 마키아벨리일까요, 아니면 연인을 위해 노력하는 사랑에 빠진 남자일까요?

배심원 여러분, 만약 브랜든 대령에게 죄가 있다면 그건 패션 감각을 타고나지 못했다는 겁니다. 네, 그는

* 1995년에 만든 영화 〈이성과 감성〉에서 엘리노어를 연기한 엠마 톰슨은 각본가로서 이 작품의 각색을 맡기도 했다.

플란넬 조끼를 입고 있지요. 그래서 어떤 사람은 그를 시대에 뒤떨어진 구닥다리라고 부를지도 모릅니다. 하지만 플란넬 조끼는 당시 군복의 일부입니다. 만일 우리가 옷을 가지고 무죄냐 유죄냐를 가린다면, 유죄가 아닌 사람이 어디 있겠습니까? 옷장 속에 숨겨 놓은 우스꽝스런 옷을 들킨 적이 없는 사람이 있을까요? 그에게서 플란넬 조끼를 벗겨내고, 그냥 브랜든 대령이라는 사람 자체를 한번 보십시오. 온 세상의 일들을 도맡아 해결하려 하는 사람, 불쌍한 사생아를 자상하게 돌보는 사람, 행복을 만들어낼지언정 결코 깨뜨리지는 않는 그런 사람을 말입니다. 대시우드 부인에 따르면 브랜든 대령은 "월로비만큼 잘생기지는 않았지요." 하지만 그렇다고 그가 전혀 잘생기지 않았다는 소리는 아니겠지요?

기회를 날려 버린 것은 바로 월로비 자신입니다. 엉뚱하게 선한 사람의 이름을 더럽히지 마세요. 배심원 여러분, 브랜든을 기소하시겠습니까? 유죄판결을 받을 사람은 바로 월로비입니다.

저자들의 말

우리는 두 학자, 윌리엄 갤퍼린(William Galperin)과
조앤 클링겔 레이의 글을 이용해 그들을 법정에서 서로 대결하는 쌍방으로
재구성했다. 윌리엄 갤퍼린이 쓴 『역사적 오스틴 The Historical Austen』
113~119쪽에 나오는 브랜든 대령에 대한 비판 부분, 그리고 조앤 클링겔 레이의
「젊은 작가의 사랑스러운 편견 : 이성과 감성의 문제점」을 참조했다.

오스틴 소설에 나오는 목사들

오스틴이 자신의 소설에서 종교에 대해 별로 언급하지 않고 있다는 것은 굉장히 놀라운 사실이다. 작품에 그렇게 많은 목사들이 등장함에도 기독교가 진지한 토론의 주제로 등장하는 경우는 매우 드물다. 기껏해야 목사가 여성들에게 보수적인 설교를 늘어놓을 때 정도인데, 이런 경우에도 엘튼이나 콜린스와 같이 못미더운 목사들을 등장시킨 걸 보면 아마도 오스틴은 목사였던 아버지에게 꽤나 유감이 많았거나 아니면 같은 목사 옷을 입은 동료들을 비웃곤 했던 아버지에게 공감했던 것 같다.

목사의 딸이었던 오스틴은 목사가 갖는 책임을 안팎으로 샅샅이 알 수 있는 기회가 있었다. 물론 좋은 목사와 형편없는 목사를 구분할 줄 아는 안목도 있었다.

목사에 대한 오스틴의 관찰을 완벽히 대변해 주는 인물이 바로 『맨스필드 파크』의 에드먼드다. "교회는 어떤 일을 해야 하나?"라는 질문에 그는 이렇게 대답한다. "인간은 서로 구별하기를 좋아하지요. 목사는 아주 미천한 직업입니다." "그 미천한 직업도 대화에서는 등급이 있지요. 목사는 폭도를 이끌어서는 안 되지만, 그렇다고 목사 옷에 어울리는 따분한 이야기만 늘어놓아서도 안 되지요. …… 목사의 소임은 인류에게 아주 중요합니다. 바로 종교를 보호하는 것이지요." 그는 1주일에 오직 두 번의 설교를 할 뿐이지만 훌륭한 목사는 칭송받는다고 주장한다. "목사가 제대로 서지 않으면 나라가 제대로 서지 않는다."면서.

정말, 이 주장은 맞는 말이다. 엘튼 목사나 콜린스 목사가 어떻게 교구를 관리하는지 상상하기는 쉽지 않다. 바스로 여행을 가서 아내를 얻은 뒤 엘튼이 그나마 보여주었던 친절함은 곧 사라져 버린다. 늘 설교를 해대는 아내에게 영향을 받아 그는 주변 사람들이 사회적으로 자신보다 못하다고 생각하게 된다. 해리엇과의 댄스를 거부한 것이 명백한 예 중 하나다. 레이디 캐서린에게 충성하는 아첨꾼 콜린스 목사 역시 똑같이 속물이다. 이 두 목사는 교구민들을 돌보기보다 자신들의 이익을 챙기기에 바쁘다.

이와는 반대로, 혼란스런 상태이기는 하지만 좋은 의도로 목사직을 준비하는 사람들도 있다. 에드먼드 버트램과 에드워드 페라즈가 그들이다. 이들은 대개 맏아들보다는 다른 아들들이 목사가 되곤 했던 당대의 관례에 따라 목사의 길을 걸으려고 했다. 장남이 재산 대부분을 차지했기 때문에 다른 아들들은 수입을 얻기 위해 다른 방법을 모색할 필요가 있었다. 이들은 대개 법률가, 군인, 목사 등이 직업이었다. 하지만 그나마 나은 목사라 할 에드먼드와 에드워드도 몇 가지 실망스러운 점이 있다. 그리고 그들은 오로지 그들의 상대역, 우리의 여주인공들이 참고 견딤으로써 구원을 받는다.

오스틴 소설에는 두 종류의 목사가 있다. 일을 악화시키는 목사, 그리고 비록 실수하기는 하지만 일을 제대로 하는 목사. 바스를 무대로 하는 소설들에는 이야기에 큰 영향을 끼치는 목사들이 등장한다. 『노생거 사원』의 헨리 틸니가 『설득』의 찰스 헤이터보다 더 중요한 역할을 하지만 말이다. 헨리 틸니는 캐서린 모어랜드를 놀리고, 가르치려 들고, 때로는 비난하는 것을 즐긴다. "아주 사랑스럽고 호감 가는 젊은이"인 찰스 헤이터는 매우 희귀한 타입의 인물이다. 당대의 관례와 달리 장남인데도 목사가 되었다. 하지만 그는 제때에 행동하지 못하는 문제점이 있다.

여러 타입의 목사들을 묘사하면서 오스틴은 세속을 초월한 존재로 여겨지곤 하는 목사들 역시 속세의 범주를 벗어나지 못하는 인간일 뿐임을 드러낸다. 선善의 보루가 되어야 할 목사들도 평범한 사람들과 똑같은 잘못을 저지르는 것이다. 오스틴은 그 어떤 인물도—심지어 흠 하나 잡을 수 없는 나이틀리 씨조차도—모든 것을 다 알고 있는 존재로 그리지 않으려고 노력했다. 그것은 오로지 그녀 자신만을 위해 남겨진 역할이었다.

제인 오스틴의 일생

옛날 옛적에, 소설의 요정 대모(代母)들이 모임을 가졌다. "재미난 소설들이 많아서 기쁘구나." 그들은 말했다. "소설은 참 많이 발전했어!" 그들은 자신들이 소설가들에게 준 재능을 이야기하고는 그 재능이 잘 쓰여서 다행이라고 말했다. 그들이 한창 축하의 말들을 주고받을 때, 독창적인 재능을 주관하는 요정 대모가 말했다. "하지만 우리 재능들을 모두 합쳐 보면 어떨까? 다음 세대 소설가들이 내가 주는 독창성뿐 아니라 다른 재능까지 갖추게 된다면?" 그러고는 코미디 요정 대모를 쳐다보았다. 그 순간 방안이 조용해졌다. 이윽고 그들은 모두 웃음을 터뜨리며 말했다. "안 될 게 뭐야?" 그리고 1775년 12월 16일 미래의 소설가 제인 오스틴이 태어났다는 소식이 전해졌을 때, 독창성 요정과 코미디 요정이 오스틴의 세례식에 참석했다. 그들은 두 재능을 합쳤을 때 과연 무슨 일이 일어날까 궁금했다. 그런데 악착같고 상스럽고 이기적인 인물들을 담당하는 요정이 오스틴에게 내려진 이중의 축복을 그리 달가워하지 않았다. 이 요정은 독창성 요정과 코미디 요정을 막을 수는 없었지만 오스틴의 세례식에 참석해서는 재빨리 자신의 재능을 덧붙였다. "너는 네 모든 재능을 완벽히 실현하지는 못할 것이다."

오스틴의 재능에 관한 이 시나리오는 허황되어 보인다. 하지만 실제로 제인 오스틴에 관해 알려진 것이 거의 없다는 사실을 생각한다면, 우리가 그동안 만들어 왔던 수많은 추측들 역시 그만큼 허황된 것이지 않은가? 사람들은 오스틴을 많이 알고 있다고 믿고 싶겠지만 사실은 그렇지 않다. 제인 오스틴은 그녀가 그려 낸 인물들이 현대 독자에게 일깨운 것들, 즉 정신적 투영, 상상력, 욕망 등을 우리 안에 일깨운다. 소설을 읽을 때 인물의 내면을 상상하듯, 우리는 그림의 모자란 부분을 채워 넣고 점들을 연결하는 것처럼 오스틴의 내면을 상상한다. 사실 엠마, 엘리자베스, 엘리노어와 앤에게 그렇게 풍부한 내면세계를 부여한 그녀가 자신만의 풍부한 내면세계를 갖고 있지 않았을 리가 없잖은가! 엘리자베스는 네더필드에서 빙리에게 "깊고 복잡한 인물"이 더 연구할 흥미를 돋운다고 말한다. 단순한 사람보다는 내면이 복잡한 사람이 엘리자베스의 흥미를 끄는 것이다. 빙리는 예견 가능한 일을 하는 단순한 인물이기 때문에 엘리자베스의 흥미를 끌지 못했다.

오스틴 자신이 바로 그녀가 그려 낸 수많은 복잡한 성격을 가진 인물들의 목록에 오를 만한 인물이다. 아마 엘리자베스가 오스틴을 보았다면 분명 매혹당하고 말았을 것이다. 우리가 오스틴에 열광하듯이 말이다! 그동안 계속 쏟아져 나왔던 오스틴 전기傳記들은 같은 정보를 가지고도 전혀 다른 결론을 내리곤 했다. 오스틴의 가족들이 쓴 초기 전기를 보면 오스틴은 단순한 인물로 묘사되어 있다. 당시 목사였던 오빠 헨리는 오스틴에 관한 최초의 전기를 써서 오스틴 사후에 출간된 『노생거 사원』과 『설득』에 올렸다. 이 전기는 그녀의 죽음을 간략하게 알리며 시작한다. "그녀는 품행이 방정하고, 따뜻한 마음을 지녔으며, 늘 공명정대했다. 그녀는 충실한 기독교인으로 살다 생애를 마쳤다." 또한 헨리는 강조한다. "그녀 인생에서 가장 두드러진 점은 지극히 신앙심 깊고 헌신적이었다는 것이다. 신의 말씀을 어기지 않을까 두려워하되 같은 인간에게는 두려움을 느끼지 않았다." 헨리가 오스틴을 신심 깊은 요조숙녀로 묘사했다면 빅토리아 절정기에 출간된 오스틴의 조카 제임스 에드워드 오스틴 리 목사의 『제인 오스틴을 기리며Memoir of Jane Austen』는 한 술 더 떠서 오로지 가족의 일원으로서 의무에 충실하고 헌신적인 모습을 그려 낸다. 결국 개성 넘치고 다면적인 소설가로서의 제인 오스틴은 사라진 채 신앙심, 의무, 헌신 등의 용어들로 설명되는 오스틴만 남은 것이다.

캐스린 서덜랜드Kathryn Sutherland는 오스틴 가족이 쓴 이 전기들을 "덧칠과 라이벌 의식, 정보 누락의 결정체"라고 묘사한다. 서덜랜드는 바로 이 가족들이 얼마나 오랫동안 오스틴에 관한 '사실'들을 통제하고 지배해 왔는지를 지적한다. 그들은 서슴없이 몇몇 편지들을 다시 쓰고 혹은 '거친' 표현들을 삭제해 버리면서 오스틴을 성인군자 같은 인물로 재창조해 냈다. 그들은 집안 간의 경쟁과 시대의 압력에 쫓겨 가끔은 중요한 사실들을 잊어버리기도 했다. 그들은 좀 더 자신들의 구미에 맞는 제인 오스틴의 모습을 덧씌웠을 뿐 아니라 제인 오스틴의 형제 중 누구의 후손이냐에 따라 자기들 간에도 서로 모순과 갈등을 일으키는 이야기들을 만들어 내기도 했다.

앞서 우리는 제인 오스틴이 자신이 창조한 인물들처럼 정신적 투영과 상상력, 욕망을 우리에게 일깨운다고 말한 바 있다. 그 중 욕망으로 말할 것 같으면, 많은 오스틴 지지자들이 얼마나 뜨거운 욕망을 키워 왔는지! 작가의 마음을 이해하고자 하는 욕망, 오스틴이 소설 속에 그려 놓은 이야기를 그녀의 삶 속에서 발견하고픈 욕망 말이다. 오스틴에 관한 모든 전기들이 바로 이 욕망과 씨름했고, 몇몇 사실들이 이 욕망에 더욱 불을 붙이고 있다. 예를 들어 오스틴이 불과 마흔한 살이라는 이른 나이에 죽었고, 오스틴의 언니 카산드라가 오스틴의 편지 여러 통을 없애 버린 사실 말이다. 현재 오스틴의 편지는 160통이 남아 있다. 카산드라는 왜 편지들을 없앤 걸까? 이 편지들이 너무 많은 이야기를 하고 있기 때문에? 아니면 별 쓸모없는 이야기를 하고 있기 때문에? 이 편지들이 더 넓은 바깥세상—오스틴이 본 연극들, 읽은 책들, 만난 사람들—에 관한 오스틴의 지극한 관심을 드러내고 있기 때문에 처분한 것은 아닐까? 물론 알 수는 없다. 이 편지에 오스틴의 사적인 감정이 드러나 있을까? 그렇지는 않다. 그렇다면 오스틴의 발랄한 재치가 드러나 있을까? 그것은 맞다. 흔히 검열을 통해 삭제된 글은 뭔가 아주 급진적이거나 아니면 선정적인 것과 같이 자극적인 내용일 거라고 생각하기 쉽다. 그러고는 이 생각을 오스틴이 편지를 쓴 당시에 대입시키는 것이다. 하지만 당대 역사가들은 이런 생각이 잘못된 것일 수 있다고 지적한다. 카산드라 가 없애 버린 편지들에는 예상 외로 별다른 '특이한' 것들이 없을 수 도 있다는 것이다.

나아가 클레어 토말린Claire Tomalin의 오스틴 전기에는 이런 주장도 등 장한다. 어쩌면 카산드라는 오스틴이 쓴 편지뿐 아니라 일기장도 없 애 버렸는지도 모른다는 것이다. 만약 일기가 없었다면 카산드라가 어떻게 소설이 집필된 시작 일과 완성 일을 그렇게 꼭 집어 말할 수 있었겠느냐면서 말이다.

그러나 일기장이 사라졌음에도 우리는 남아 있는 편지들과 이러 저러한 기록들을 통해서 오스틴이 런던을 몇 차례 갔다 왔고 고머셤 에 있는 오빠의 대저택을 방문했다는 사실을 알 수 있다. 또한 오스 틴이 소설가가 되는 데 중요한 역할을 한 몇몇 여자 친구들이 있었 다는 깃, 오스틴의 삶과 작품에 배경이 되는 사회적 관계망의 범위가 어마어마하다는 것도 알 수 있다. 오스틴이 이 일련의 사람들과 나눈 사회적 교제는 여러 대륙에 걸쳐 있었고, 또한 어떤 모험적인 요소도 지니고 있었다. 이 경험들이 오스틴에게는 창의적인 글쓰기의 밑바 탕이 된 것이다. 하지만 오스틴의 삶과 그녀의 작품들을 혼동해서는 안 된다. 바로 이런 혼동이야말로 오스틴 전기 작가들이 각별히 조심 해야 할 사항이다. 오스틴만큼 시대를 불문하고 그토록 널리 읽히고 또 열렬히 사랑받는 작가도 드물기 때문에 전기 작가들은 늘 오스틴의 삶을 하나의 소설처럼 그려 내고 싶어 한다. 게다가 더 문제인 것은 전기 작가들이 그녀의 삶에 관해 만들어 낸 소설은 오스틴 소설이 아니라 브론테 자매가 쓴 지극히 낭만적인 소설 같다는 것이다!

다음의 간략한 오스틴 연대기를 읽으면서 당신이 꼭 기억해야 할 점은, 사실 우리는 오스틴이 언제 소설 쓰기를 시작했는지조차도 확실히 모른다는 것이다. 정말이지, 그녀는 아주 난해하고 복잡한 인물이다.

1764년 4월 26일 오스틴의 부모, 조지 오스틴과 카산드라 리가 바스의 세인트 스위딘 교회당에서 결혼하고 딘에 있는 목사관에 신접살림을 차리다.

1765년 오스틴 부부의 맏아들 제임스 태어나다.

1766년 둘째 아들 조지 태어나다. 조지 오스틴은 오스틴 가의 연대기에 자주 등장하지 않는다. 그의 부모가 일종의 정신병을 앓았던 그를 컬럼가로 보냈기 때문이다. 이후 그는 가족으로부터 재정적인 도움만을 받았던 것 같다. 그에 대한 가족들의 기록은 굉장히 미미한데, 심지어 그는 어머니의 유언장에도 빠져 있다.

1767년 셋째 아들 에드워드 태어나다.

1768년 오스틴 가족, 스티븐튼 목사관으로 옮기다.

1771년 헨리 톰슨 태어나다.

1773년 카산드라 태어나다.

1774년 프랜시스 오스틴 태어나다.

1775년 12월 16일 제인 오스틴 태어나다. 이모 필라델피아 핸콕과 그녀의 딸 일라이저가 산파 역할을 하다.

1779년 찰스 오스틴 태어나다.

스티븐튼의 성 니콜라스 교회. 사진작가 알란 소드링은 19세기 중반에 이 교회에 첨탑이 증축되었다고 지적한다. "오스틴이 보던 대로 이 교회를 보려면 마음속에서 첨탑을 지우고 봐야 한다." © 알란 소드링

시골 목사관은 일곱 명의 아이들이 살기에는 좁은 공간이었다(조지가 컬럼가로 보내진 것을 생각해 보라). 여기에 아버지 오스틴 목사가 가르치는 기숙 학생들과 늘 제집처럼 드나드는 친척들과 친구들까지 더하면 그 좁은 교구관이 얼마나 붐볐을지 쉽게 상상할 수 있다. 오스틴가 아이들은 어렸을 적 종종 교구에 있는 다른 집에 보내져 보살핌을 받다 돌아오곤 했다. 우리는 제인 오스틴이 전원의 한적한 생활을 즐겼고, 집을 떠나면 늘 되돌아오고 싶어 했을 거라 생각한다. 실상 빅토리아 시대에 쓰인 오스틴 전기는 그녀를 늘 그런 모습으로 묘사했다. 하지만 캐스린 서덜랜드가 지적하듯이, 오스틴이 어린 시절을 보낸 스티븐튼 목사관이나, 그녀가 생의 마지막 8년을 보낸 초튼은 모두 대로변에 있었다. 사실 초튼은 "사우샘프턴에서 윈체스터로 이어지는 주도로에 위치하고 있었다."

1783~1786년 제인과 카산드라, 그들의 사촌 제인 쿠퍼는 옥스퍼드에 있는 코울리 스쿨에 다니게 된다. 그 학교가 사우샘프턴으로 이사를 가자마자 장티푸스가 돌아서 다시 레딩에 있는 애비 스쿨로 옮겨야 했다. 하지만 조지 오스틴 목사는 그 학교에서 배우는 것이 그리 마음에 들지 않았는지 딸들을 학교에 등록시키지 않았다. 열한 살 이후, 제인은 더 이상 정식 교육을 받지 못했다. 가정에서 부모와 형제들이 오스틴의 선생님이자 친구 역할을 했고, 나중에 그녀가 글을 쓰게 되었을 때는 독자 역할을 맡았다.

1782년 『마틸다Matilda』로 스티븐튼의 아마추어 공연이 시작되다.

1783년. 에드워드가 자식이 없었던 토마스 나이트 2세 부부에게 입양되다.

1787~1788년 제인 오스틴의 소위 '습작기'가 시작되다. 그녀는 자매들에게 자신의 작품을 큰 소리로 읽어주곤 했다. 남자 형제들은 모두 '바깥세상'을 경험하고 있었기 때문에 그들이 오스틴의 습작을 들을 기회는 없었다. 제임스는 옥스퍼드에 있었고, 에드워드는 그랜드 투어를 하는 중이었다. 프랭크는 포츠머스의 해군사관학교에 있었다.

1789년 마르따 로이드와 그 가족이 오스틴의 이웃으로 이사 오다. 곧 오스틴과 마르따는 절친한 사이가 되고, 오스틴은 습작 한편을 그녀에게 바친다.

로이드 양에게.
사랑하는 마르따. 내가 최근에 모슬린 망토를 완성하는 데 그 내가 큰 도움을 주어 이에 대한 감사 표시로 그녀의 충실한 벗이 쓴 이 작은 작품을 바치고자 하니 부디 허락하시길.

1791년 당대 역사의 패러디인 '영국의 역사'가 아마 이 해에 쓰였을 것으로 추측된다. 또한 오스틴은 이 시기 『레이디 수잔Lady Susan』의 집필도 시작했을 것이다.

1792년 『캐서린, 혹은 작은 오두막Catharine, or The Bower』을 집필하다. 이

작품은 그동안 오스틴의 습작 중 하나로 간주되어 왔지만 비평가들은 단지 완결되지 않았을 뿐인 하나의 완전한 '소설'로 본다. 메리 월드론Mary Waldron은 이 소설이 오스틴에게 있어서 하나의 전환점을 이룬 작품이라고 보았다. 이 소설에서부터 오스틴 소설이 그 이전에 써온 것들보다 훨씬 복잡한 구성을 보여주기 때문이다.

1792년 로이드 가족이 입소프로 이사하다. 그해 말, 제인과 카산드라가 그곳을 방문하다.

1792년 카산드라가 아버지 오스틴 목사의 제자였던 톰 포울 목사와 약혼한 것으로 추정된다.

1793~1794년 오스틴이 『레이디 수잔』을 손보다.

1795년 이 해에 오스틴이 『이성과 감성』의 원작인 「엘리노어와 마리안느Elinor and Marianne」의 집필을 시작했을 것으로 추정된다.

1796년 2월 9~10일 이 날 제인이 카산드라에게 보낸 편지가 오늘날 전해지는 최초의 편지다. 카산드라는 목사로서 서인도제도로 떠나는 약혼자를 배웅하기 위해 스티븐튼을 떠나 있었다. 카산드라가 없는 동안 제인은 그녀에게 재미있는 편지들을 보냈다. 이 편지들은 "아주 신사답고 잘생긴 젊은 남성"인 톰 르프로이에 대한 이야기들을 담고 있다. 이 편지들에 근거해서 우리는 실제로 두 사람 사이에 무슨 일이 일어났는지를 추측할 수 있겠지만, 훗날 나이 지긋한 노신사가 된 르프로이가 기억하는 것은 우리가 상상하는 바와는 약간 다르다. 어쨌든 편지에 근거해서 우리는 다음의 사실을 알 수 있다.

톰 르프로이는 스티븐튼 목사관 근처에 사는 이웃의 친척으로, 오스틴 가족의 절친한 친구가 된다. 이들이 만난 시간은 그리 길지 않다. 오스틴은 카산드라에게 보낸 두 통의 편지에서 그에 관해 여러 가지 것들을 설명하고 있는데 그 모든 일들이 1주일 사이에 일어났다. 그들은 무도회에서 몇 번 만났고, 톰은 그의 사촌 조지와 함께 스티븐튼 목사관을 방문한다. 오스틴은 이 일련의 사건들을 장난스럽고 짓궂은 어조로 묘사한다. "이 세상에서 가장 방정맞게 춤추고 함께 앉아 있는 모습을 상상해 봐." 르프로이가 머무른 기간이 아주 짧음에도 오스틴은 두 번째 편지에서 다음과 같이 말한다. "오늘 저녁 모임에서 그가 무슨 말을 할 것 같아." 이 말은 심각한 것이었을까? 그렇게 믿기에는 약간 망설여진다. 그녀가 곧 장난스럽게 덧붙이는 말 때문이다. "하지만 그가 그 흰 코트를 벗어 버리겠다고 약속하지 않는 한, 난 그를 거절할 거야."

영화 〈비커밍 제인Becoming Jane〉에도 나타나듯이, 우리는 여기서 오스틴에 관해 한 가지 추측을 할 수 있다. 즉, 제인과 톰 르프로이가 서로 사랑했으나 톰의 가족들이 전도유망한 그에 대해 다른 계획을 갖고 있었을 것이라고 말이다. 그래서 톰은 1월 18일이 되기도 전에 서둘러 런던으로 떠났던 것이다. 결국 제인은 청혼을 받지 못했다. 이 무렵 그녀를 쫓아다니던 남자들이 없었던 것은 아니지만, 톰에게서 청혼을 받지 못했다는 사실에 그녀가 적잖이 실망했던 것은 확실하다. 제인은 2년이나 지난 뒤에도 톰의 숙모 르프로이 부인의 스티븐튼 방문에 대해 다음과 같이 쓰고 있다. "르프로이 부인은 조카에 대해 아무 말도 하지 않았어. 그녀는 내게 톰이라는 이름조차 입에 올리지 않더군. 나 역시 자존심 때문에 그에 대해 묻지 않았고." "올 크리스마스에도 그가 여기로 올 것 같지는 않아. 그래서 그도, 나도 아마 서로 완전히 무관심해지겠지. 그동안 통 보지 못했으니 한번쯤 궁금해 한다면 모를까. 그는 처음에는 나에 관해 전혀 몰랐기 때문에 내게 관심을 가졌던 것 같지만 말야."

이것은 장난스런 연애감정, 그 이상이었을까? 위컴과 엘리자베스의 지분거림이 오스틴의 이런 경험에 기초하고 있는 것일까?

데보라 카플란Deborah Kaplan은 최근 연구에서 이 두 편지에 대해 '다르게 읽기'를 시도한다. 카플란은『여성들 속의 제인 오스틴Jane Austen Among Women』에서 이 편지에서 오스틴이 보여주는 장난스러움, 남자들의 감정을 가지고 노는 레이디 수잔 같은 여성 캐릭터들을 창조한 것 사이에 모종의 관련이 있다고 주장한다. "오스틴은 현재 전해지는 첫 편지가 시작된 1796년 이전에『레이디 수잔』을 썼지만, 그녀가 카산드라에게 보낸 많은 편지에서 남녀 성 역할을 뒤바꾼 짧고 재미있는 판타지를 볼 수 있다는 점에 주목할 수 있다." 카플란은 이런 종류의 판타지를 다른 여러 편지에서도 발견한다. "오스틴은 레이디 수잔이나 캐서린 버논처럼 자신 있게 남성의 욕망과 행위를 예견하거나 유도하기를 좋아했다. 나아가 남성들이 좋아할 만한 여성 캐릭터와, 청혼을 거절당하고 상처받는 남성 캐릭터를 그려 내기를 즐겼다." 톰 르프로이가 "흰 코트를 벗어 버리겠다고 약속하지 않는 한" 그의 청혼을 거절할 거라고 장난스럽게 말한 것처럼 말이다.

1796년 10월 카산드라에 의하면, 오스틴은 이 시기에 『첫인상First Impressions』을 집필하기 시작하고 이듬해 8월에 소설을 완성한다. 이 작품은 이후 『오만과 편견』으로 개작되며, 첫 원고에 관해 알려진 바는 거의 없다. 단지 그녀가 "이리 저리 가지치고 다듬었다"는 것 밖에는.

1797년 카산드라의 약혼자 톰 포울이 서인도제도에서 돌아오는 도중 황열병으로 사망하다. 카산드라에게 1천 파운드의 돈을 남기다.

1797년 『첫인상』이 오스틴의 가족으로부터 열광적 반응을 얻다. 오스틴 목사가 출판사에 원고를 보내지만 거절당하다. 오스틴은 「엘리노어와 마리안느」의 교정을 시작하다.

1798년 도서관의 대여 회원으로 가입하다. 12월 18~19일 편지에서 오스틴은 카산드라에게 "우리는 대단한 소설 독자들이고 그것을 부끄러워할 이유가 없다"고 말하다.

이 무렵, 아마도 오스틴은 『노생거 사원』의 원작인 「수잔Susan」을 쓰기 시작했을 것이다. 또한 에드워드의 양부모인 나이트 씨의 멋진 저택, 고머섬 파크Godmersham Park를 방문하다. 이후 1813년까지 몇 번에 걸쳐 이곳을 방문하다.

1799년 오스틴, 어머니와 에드워드, 그의 부인과 아이들인 패니와 에드워드 주니어가 바스를 방문하다. 카산드라에게 바스의 유행과

쇼핑에 관해 편지를 보내다.

1800년 12월 마르따 로이드와 함께 입소프의 로이드가를 방문하고 돌아오다. 이후 부모가 스티븐튼 목사관을 떠나서 바스로 이사하기로 결정했음을 알게 되다. 왜 이사하기로 했을까? 아마도 오스틴 여사의 건강 때문으로 추측된다. 바스는 요양지로 잘 알려진 곳이기 때문이다. 아니면 오스틴 목사가 너무 나이가 들어서(그는 이때 일흔 살이었다) 더 이상 목사직을 수행할 수 없었기 때문일지도 모른다. 아니면 당시 오스틴 집안의 경제적 상황이 악화되어 햄프셔와 같은 시골의 전원주택을 유지하는 것보다 생활비가 덜 드는 바스에 정착한 것일 수도 있다. 혹은 오스틴 목사가 아들에게 자신의 집과 직위를 물려주고 싶어 했기 때문인지도 모른다. 이유가 무엇

고머섬 파크의 옛 모습

이든 간에, 제인 오스틴이 이 결정에 어떻게 반응했는지에 관해 많은 이야기들이 전해진다. 어느 오스틴 친척에 의하면, 오스틴은 그 소식을 듣자 기절했다고 한다. 이 전설은 평화로운 전원을 사랑했다는 오스틴의 이미지에 딱 들어맞는 것인데, 아마도 오스틴 가족이 이사한 후 스티븐튼 목사관을 차지하게 된 친척 쪽에서 나온 것 같다. 어쩌면 그들이 죄의식을 느꼈기 때문에 이야기를 부풀린 것일 수도 있으니까.

사람들은 이 기절 일화가 제인 오스틴이 거의 수도승처럼 살았다는 신화에 부합하기 때문에 믿고 싶어 하는지도 모른다. 이 신화는 너무나도 많은 사람들에게 반복적으로 거론되어서 거의 사실인 것처럼 여겨진다. 물론 바스에는 오스틴의 마음에 들지 않는 것들이 많았을 수도 있다. 하지만 그녀는 늘 도시의 흥미진진한 일들에 기꺼이 매료되곤 했다. 그녀는 콘서트나 다른 유흥들을 즐겼고 사람들과의 만남을 좋아했다. 심지어 그녀는 "나는 여기로 이사 온 것이 점점 더 마음에 들어"라고 쓰기도 했다. 그녀가 바스를 좋아하든 싫어하든 간에 그곳에서 살아야만 했다. 무엇보다도 이제 모든 이가 알고 있는 바, 오스틴은 바스에서 살았던 이 8년이라는 기간 동안 결코 글쓰기를 멈추지 않았다.

오스틴은 이 시기에 『왓슨가족The Watsons』을 집필했다. 비록 나중에 포기하기는 했지만 말이다(아마도 1807년 이전까지 그녀는 이 작품을 계속 다듬은 것 같다). 그녀는 또한 이 시기에 『노생거 사원』의 초고를 다시 썼던 것 같고, 『레이디 수잔』을 수정하거나 완성했던 것 같다. 이 작품들의 원고가 1805년부터 존재하기 때문이다. 그녀는 또한 다

오스틴과 프랑스의 연계

제인의 활기 넘치는 사촌 일라이저가 장 프랑수와 카포 드 포이유드와 결혼해 포이
유드 남작부인이 되었다. 그녀는 영국에 돌아와서 마리 앙투아네트의 헤어스타일
과 의상, 프랑스 귀족 생활에 관한 이야기를 한보따리 늘어놓았다. 프랑스가 혁명의
격동에 휩쓸렸을 때 일라이저는 파리에서 도망쳐 나왔지만 그녀의 남편은 투옥되
어 1794년 길로틴에서 처형당한다. 그러나 18세기가 끝나갈 무렵, 늘 활기찼던 일라
이저는 영국에서 떠들썩한 도시 생활을 즐기는 행복하고 독립적인 미망인이 되어
있었다. 그러던 중 일라이저는 오스틴의 두 남자 형제들, 즉 홀아비가 된 제임스와
헨리로부터 관심을 받는다. 1797년 그녀는 제임스를 거절하고 자신보다 열 살 어린
헨리의 청혼을 받아들인다. 결혼할 당시 그녀는 첫 결혼에서 낳은 아들을 데리고
왔다. 이후 헨리는 도시의 유흥을 즐기는 아내의 취향을 만족시키기 위해 직업인
해군 생활에 충실하지 못하고 은행에 드나들게 되었다.

른 작품도 쓴 것으로 보인다. 바스로 이사 간다는 사실을 들었을 때
오스틴이 기절을 했든 하지 않았든, 확실한 것은 그 이사로 인해 오
스틴이 글쓰기를 멈추지는 않았다는 것이다.

1801년 5월 오스틴 가족은 바스의 시드니 플레이스 4호에 자리를
잡는다.

1801~1804년 이 기간 중 오스틴이 연애를 했다고 추정된다.

1802년 12월 2일 오스틴은 스티븐튼 목사관을 물려받은 오빠 제임

스를 방문하는데, 이 기간에 해리스 빅위더가 오스틴에게 청혼하다. 오스틴은 빅위더의 청혼을 받아들인다.

1802년 12월 3일 오스틴은 청혼을 거절하고 카산드라와 함께 바스로 향한다. 그 이유는 지금껏 알려져 있지 않다.

1803년 출판업자 리처드 크로스비가 「수잔」을 구입하다. 이후 이 작품은 오스틴이 사망한 이후에야 비로소 『노생거 사원』이라는 이름으로 출판된다.

1803~1805년 여름 동안에 오스틴의 가족이 라임 레지스를 방문한다. 이후 그들은 바스로 돌아가서 그린 파크 빌딩 이스트 3번지로 이사한다.

1805년 1월 21일 오스틴의 아버지가 바스에서 사망하다. 오스틴은 곧 어머니, 카산드라와 함께 게이가 25번지로 이사하다. 그해 4월 마르따 로이드의 어머니가 사망하고 마르따는 오스틴가 여성들과 함께 지내다.

1806년 오스틴가 여성들, 애들스트롭으로 이사하다.

1807년 사우샘프턴으로 이사하다.

1809년 4월 5일 크로스비 출판사에 「수잔」을 어떻게 할 것인지를 묻는 편지를 예명으로 보내다. 출판사는 오스틴이 소설을 판 값(10파운드)에 되살 수 있기는 하지만 자신들이 작품을 구입할 때 출판 시기에 관해 조건을 단 적은 결코 없었다는 답장을 보내다.

1809년 7월 7일 초튼 코티지로 이사하다.

1810년 『이성과 감성』이 출판 제의를 받다.

1811년 2월 『맨스필드 파크』를 구상하기 시작하다.

1811년 10월 30일 『이성과 감성』 출간되다.

1811년(아마도 겨울) 『첫인상』을 다듬기 시작하다. 이후 이 원고는
『오만과 편견』이 된다.

1812년 『오만과 편견』 저작권을 팔다.

바스의 시드니 플레이스. 오스틴 가족이 살았던 4호는 왼쪽에서 네 번째 집이다. ⓒ 알란 소드링 www.astoft.co.uk

초튼 코티지 © 알란 소드링 www.astoft.co.uk

1813년 1월 28일 『오만과 편견』 출간되다. 오스틴은 『맨스필드 파크』 집필을 계속하다.

(아마도) 1813년 여름에서부터 그해 말 어느 시점에 『맨스필드 파크』를 완성하고 출간 의뢰를 받다.

1814년 1월 21일 『엠마』를 집필하기 시작하다.

1814년 5월 9일 『맨스필드 파크』 출간되다.

1815년 3월 29일 『엠마』를 완성하다.

1815년 8월 8일 『설득』의 집필을 시작하다.

1815년 12월 『엠마』 출간되다.

1816년 오스틴의 오빠 헨리가 파산하다. 데이비드 스프링David Spring은 오스틴 소설에 등장하는 장사꾼들과 목사, 변호사들을 "가짜 신사들"이라고 부른 바 있는데, 캐스린 서더랜드는 이 '가짜 신사'라는 용어가 오스틴 가족에게도 적용된다고 주장한다. 에드워드처럼 출세해 대저택에 사는 이들도 있지만 헨리

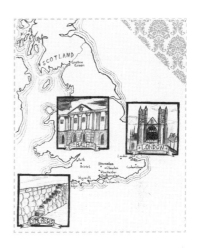

처럼 망하는 경우도 있었는데, 이들은 "전통적인 시골 신사 계층이 되고 싶다"는 열망만은 공유하고 있었기 때문이다. 헨리는 오스틴의 출판 대리인이었기 때문에 그의 파산은 오스틴에게 타격을 주었다. 이 때문에 오스틴이 병에 걸린 것일까?

1816년 봄 이래 오스틴은 계속 병석에 눕다. 그 해 여름 『설득』의 초고를 마치고 8월에 완성하다. 9월에 카산드라에게 보낸 편지에서 그녀는 "더 이상 등이 아프지 않아"라고 쓴다. 그녀는 "걷지만 않으면 괜찮은데 걷는 것이 너무나 힘들기" 때문에 생일날 저녁 만찬에 오라는 초대를 거절한다. 1817년 초에 쓴 편지에서 "담즙*이 이 모든 병의 근원"이라고 쓰다.

1817년 1월 27일 『샌디션Sanditon』 집필을 시작하다. 2월에 무릎이 아파 붕대를 하고 다니다. 3월 "상당한 열병"

* 서구 전통에서 히포크라테스가 사람의 기질을 결정하는 체액 성분 중 하나로 지목한 것으로, 과하면 노여움과 울화, 분통의 원인이 된다.

을 잃었고, "형편없었던 꼴을 조금이나마 회복해 가고 있다"고 쓰다. 3월에 『샌디션』 집필을 중단하다.

4월 초 오빠에게 보낸 편지에서 그녀는 "지난 2주간 몸이 너무나 아파서 아무것도 쓸 수 없었다"고 말하다. 헨리에게 50파운드, 시누이 일라이저를 간호했던 가정부 마담 비전에게 50파운드를 물려주고, 그 외 모든 재산을 카산드라에게 물려준다는 유언장을 작성하다.

5월 22일 "밤새 열병에 시달리고, 몸에 힘이 없다"고 자신의 상태를 묘사하다. 5월에 카산드라가 오스틴을 윈체스터로 데려가 의사에게 검진을 받게 하다.

1817년 7월 18일 오전 4시 30분에 죽다. 카산드라는 조카인 패니 나이트에게 편지로 다음과 같이 말하다. "나는 이 세상 어느 곳에서도 찾을 수 없는 자매이자 친구, 보물을 잃었어. 제인은 내 삶의 태양이었고 모든 즐거움을 함께 했으며, 모든 슬픔을 위로해 주었지. 난 조금도 숨기지 않고 모든 생각을 그녀와 공유했어. 정말이지 내 일부를 잃은 것 같아. 나는 너무나 그녀를 사랑했고, 그녀는 그런 사랑을 받을 만했어."

　제인 오스틴은 재처리 코프 경이 1964년에 주장했듯이 애디슨병으로 죽은 것일까?(이 질병은 1860년까지 정체가 밝혀지지 않았다.) 코우프는 피부가 변색되고 짜증이 폭발하는 등의 증상이 애디슨병과 일치한다고 보았으나 그 병은 반복되는 발열을 일으키지는 않는다. 클레어 토말린은 오스틴의 병이 림프종이었을 거라고 주장한다. 증상으로 따지면 이 병이 더 가깝다. 아니면 캐롤 쉴즈가 주장하듯이 유방암이었을까?

심지어 죽음에서조차 오스틴은 우리에게 궁금증을 남긴다.

1817년 12월 말 『노생거 사원』과 『설득』이 출간되다. 헨리 오스틴의 「오스틴의 생애를 추모하며」와 함께.

오스틴의 묘비에는 작가로서 그녀를 기리는 어떤 문구도 들어가 있지 않다.

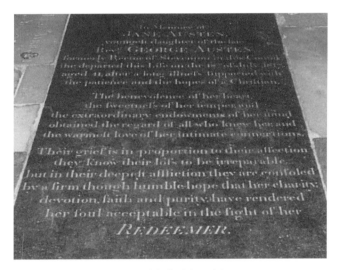

원체스터 성당에 있는 제인 오스틴의 묘

제인 오스틴을 추모하며

스티븐튼 목사였던

고(故) 조지 오스틴 목사의 막내딸로 태어나

1817년 7월 18일 세상을 떠나다.

41세, 오랜 질병을 기독교인의 인내와 희망으로 버텨내다.

자비로운 심성을 지니고

부드러운 성정과 비범한 재능을 지닌 그녀,

모든 사람들에게서는 존경을,

가까운 친지들에게서는 따뜻한 사랑을 받나.

사랑이 컸던 만큼 그녀를 잃은 슬픔도 크다.

우리는 이제 더 이상 그녀를 볼 수 없음을 알고 있다.

슬픔 속에서도 오로지 위안이 되는 것은

그녀의 자비와 헌신, 믿음과 순결로 인해

영생 구세주께서 그녀의 영혼을 받아들였다는

확고한 믿음뿐이다.

맨스필드 파크
MANSFIELD PARK

톰 : "맨스필드 파크라니, 너 농담이지?"

오드리 : "아니."

톰 : "하지만 그 소설은 아주 악명 높잖아. 오스틴을 그렇게 칭송했 던 라이오넬 트릴링Lionel Trilling도 그렇게 생각했지."

오드리 : "글쎄, 라이오넬 트릴링이 어리석었던 게지."

톰 : (비웃으며) "소설의 전체 스토리가 뭐더라? 연극하려는 젊은이 무리의 비도덕성에 관한 거였지, 아마."을 짚어

오드리 : "소설의 문맥을 짚어 읽어 보면, 그 부분은 아주 완벽해."

톰 : "하지만 그 소설의 문맥 자체가, 그리고 오스틴이 쓴 거의 모든 것들이 지금의 관점에서 보면 정말 말도 안 되는 것들이야."

오드리 : "오늘의 이 세상이 오스틴의 관점에서 보면 정말 최악일 수도 있다는 생각은 혹시 안 해 봤니?"

　　　　　　　-윗 스틸맨Whit Stillman 감독의 영화 〈메트로폴리탄〉 중에서

『맨스필드 파크』는 독자들의 사랑과 미움을 동시에 받는 작품이 다. 소설로서는 성공작으로 칭송받았지만 주인공 패니 프라이스는

정말 매력적이지 못한 인물이기 때문이다. 어떤 사람들은 이 소설의 교훈적인 면을 칭송하지만 어떤 사람들에게 이 소설은 정말 지루하기만 할 뿐이다. 어떤 이에게는 성공작이지만 어떤 이들은 실패작이라 믿는다. 어떤 이들은 패니 프라이스를 "낭만적 괴물"이라고 주장하고, 다른 이는 그녀를 "무기력하고 흐리멍덩한 소녀"에 불과하다고 본다. 어떤 이들은 이 소설에 전반적으로 깔린 종교적인 분위기를 거슬려 한다. 오스틴이 왜 십자가니, 목사직 안수니, 설교니 하는 재미없는 이야기들을 늘어놓는지 의아해 한다. 다시 말해 이 소설은 우리가 오스틴 소설에서 기대하는 바를 무너뜨린다는 것이다. 오스틴 소설 특유의 가볍고 발랄한 어조는 어디로 갔는가? 우리는 세상에 대고 또박또박 말대꾸하는 엘리자베스를 기대했지만 이 소설에서 우리가 만나게 되는 인물은 오직 무슨 말을 어찌해야 할지 몰라 당황하는 패니 프라이스일 뿐이다. 게다가 패니는 '말'을 하는 인물이 아니라 '생각'을 하는 인물이다. 다아시를 조롱하던 엘리자베스의 재치 있고 빌랄한 언어를 이 소설에서는 기대할 수 없다.

『맨스필드 파크』에는 비호감인 인물들은 너무 많고 호감 가는 인물들은 별로 없다. 맨스필드 파크 사람들은 '누가 가장 이기적인가'를 가지고 서로 경쟁하는 듯하다. 레이디 버트램은 발작성 수면증에 걸렸고(아마도 약을 잘못 먹어서 그런 것 같다) 토마스 경은 자식들에게 환영받지 못한다. 난봉꾼이 적어도 한 명 이상 있으며, 사악하고 못돼먹은 노리스 부인도 있다(해리포터 시리즈에서 필치의 고양이가 노리스 부인인 걸 보면 조앤 롤링도 『맨스필드 파크』를 읽었음이 분명하다).

『맨스필드 파크』의 무대가 되었던 포츠머스 항구

　흔히 『맨스필드 파크』는 패니 프라이스가 부유한 친척 집에 오는 것으로 시작한다고 알려져 있지만 사실은 그렇지 않다. 이 소설은 세 자매의 이야기로 시작한다. 셋 중 한 명은 부유한 남자와 결혼해 레이디 버트램이 되었고, 다른 한 명은 그 자매의 남편, 토마스 경이 호의를 베풀어 겨우 체면을 유지할 정도의 결혼 생활을 하게 되었다. 토마스 경이 노리스 목사 부부에게 맨스필드 파크 구역의 목사관과 생계를 제공했던 것이다. 하지만 막내는 오로지 애정만으로 결혼하는 엄청난 실수를 범했다. 그녀는 해군 대위 프라이스와 결혼해 어찌해 볼 도리 없는 가난 속에 살게 되었다. 이 세 자매의 엇갈린 운명이 바로 제인 오스틴이 이 소설에서 선사하는 이야기의 핵심으로 독자를 끌고 들어간다. 이 이야기는 독자들의 높은 관심과 사랑을 받지는 못했지만 오스틴 자신은 높이 평가했다. 생쥐처럼 불쌍한 여주인공, 패니 프라이스를 우리가 어떻게 받아들일 수 있을까? 패니가 보여 주는 도덕적인 면이 현대 독자들에게 공감을 자아내지 못한다면, 패니는 우리가 매력을 느낄 만한 어떤 다른 면을 가지고 있을까?

우선 전혀 여주인공 같지 않은 여주인공 패니 프라이스에 대해 말해 보자. 그녀는 레이디 버트램의 막내 동생 프라이스 여사의 딸로서, 포츠머스에 있는 늘 시끄럽고 더럽고 가난한 집에서 태어났다. 하지만 패니는 이 집에서 살 운명이 아니었다. 맨스필드의 부유한 친척들이 그녀의 교육을 책임지겠다고 나섰고, 그녀는 10살 때 맨스필드로 보내진다(패니는 오스틴의 소설에서 이렇게 어린 나이에 등장하는 유일한 여주인공이다). 맨스필드에 도착하자마자 패니를 맞아들이는 것은 그녀를 두고 "비위에 거슬릴 만한 점이 없다"며 안심하는 친척들과, 그녀는 결코 '버트램 양'이 아니고 그들과 같은 대접을 받지도 않을 거라는 노리스 부인의 준엄한 설교였다. 이후 여러 해에 걸쳐서 패니는 자신이 사촌인 버트램 양들과 얼마나 다른 처지인지에 대해 확고한 교육을 받는다. 이 엄격한 위계질서는 반드시 지켜져야만 했다. 패니의 도착에 맞추어 곧 버트램가의 딸들이 그녀 앞에 당당히 등장한다. 자라온 환경이 매우 달랐기 때문에 13세 마리아와 12세 줄리아는 10세인 패니보다 훨씬 성숙해 보였다. 17세 톰과 16세 에드먼드는 "그 어린 사촌의 눈에 모든 어른의 위엄을 갖춘 사람들처럼 보였다."

패니는 이 대저택에서의 생활에 익숙해지려고 노력하지만 늘 어찌할 줄 몰라 당황할 뿐이다. 그녀의 유일한 위안은 쌀쌀맞은 버트램 자매와는 달리 "올바른 마음가짐"을 가진 에드먼드뿐이었다. 그는 패니가 가장 좋아하는 동생 윌리엄에 관한 이야기를 들어주고 윌리엄에게 편지를 쓸 수 있도록 종이를 구해 준다. 얼마 뒤 노리스 목사가 죽자 패니가 노리스 부인과 함께 목사관에 가서 살아야 하지 않겠느냐는 이야기가 오간다. 정말 다행히도, 이 이야기를 들은 노리스 부인이 진저리치며 거부해서 그런 일은 일어나지 않는다. 따라서 에드먼드가 목사직 안수를 받으면 맡게 될 이 목사관은 그랜트 부부의 차지가 된다. 절약을 제일의 미덕으로 삼는 노리스 부인의 심기를 건드리는 것만 빼면 그랜트 부부가 어떤 문제를 일으킬 것 같지는 않다.

그랜트 부부가 목사관에 정착한 지 1년 뒤, 토마스 경과 맏아들 톰은 사업을 위해 안티구아로 떠난다. 그들은 이 일에 몰두해 당분간 돌아오지 않는다. 버트램 자매 역시 더욱 아름다워지고 사교계에서 영향력이 커져서 맏딸 마리아는 운 좋게도 부유한 러시워스 씨의 마음을 사로잡았다. 러시워스는 뚱뚱하고 어리석다는 것 외에는 단점이 없고, 부자라는 것 외에는 장점이 없는 인물이다. 마리아는 러시워스와 그의 연 1만 2천 파운드라는 수입과 약혼한다. 마리아의 약혼에 대한 버트램 경의 동의가 도착하고, 곧이어 톰도 안티구아에서 돌아온다. 오로지 에드먼드만이 러시워스의 거만한 어리석음에 신경을 쓰는 것처럼 보인다.

이런 환경 속에 패니가 18세가 되었을 때, 맨스필드 파크에 새 이

웃이 생긴다. 그랜트 여사의 이복
남매인 메리와 헨리 크로포드가
목사관에 손님으로 온 것이다. 메
리는 아름답고, 헨리는 그리 잘생
기지는 않았지만 런던에서 오래
생활해 활기 있고 세련된 매너가
몸에 뱄다. 맨스필드 파크는 이런
그들을 당연히도 열렬히 환영한다.
오늘날의 독자들은 패니 프라이스

보다는 밝고 활기찬 메리 크로포드에게 훨씬 더 마음이 끌릴 것이
다. 메리는 사교적이다. 때로는 패니조차도 메리의 반짝거리는 매력
에 끌릴 수밖에 없었다. 하지만 패니에게 메리는 나쁜 여자여야만 했
다(물론 패니는 자신이 이런 감정을 가지고 있다는 것을 의식하고 있지 않
다). 불행히도 그 둘은 한 남자를 좋아하고 있었기 때문이다.

메리와 헨리라는 낯선 인물 둘이 맨스필드 파크에 오면서 사람들
사이에 이런저런 질투심이 잔뜩 생기고 관계도 이리저리 얽힌다. 패
니 역시 질투를 느꼈지만 버트램 자매가 드러내는 정도의 질투심은
아니었다. 맨스필드 파크의 젊은이들이 당시에 스캔들을 일으켰던
『연인의 서약 Lover's Vows』이라는 연극을 연습하면서 실제로 소동이 벌어
진다. 이 연극은 맨스필드 파크에 있는 청춘 남녀들 간에 공공연한
연애질의 무대가 된다. 또한 이 연극은 맨스필드 파크의 한복판에 얼
마나 많은 위선이 존재하는지를 드러내는 장치가 된다.

소설에서 패니 프라이스의 처지는 매우 초라하다. 그녀는 맨스필드 파크에서 난로가 없는 차가운 방에서 살고 있다. 나중에 부모형제가 살고 있는 포츠머스로 되돌아갔을 때에도 그녀는 따뜻한 환영을 받지 못한다. 소설에서 그녀의 생각에 관심을 갖는 이는 거의 없다. 예를 들면, 패니가 연극에 대해 못마땅하게 생각했지만 아무도 아랑곳하지 않고 연극을 진행한다거나 하는 식이다. 에드먼드는 아무 생각 없이 패니에게 주려고 했던 말을 메리 크로포드에게 줘 버리기도 한다. 이리저리 괄시를 받는 처지이지만 패니를 대신할 인물은 없다.

그녀는 맨스필드 파크에서 도덕적인 중심을 잡아주는 인물인 것이다. 패니의 초라한 공간은 맨스필드 파크 자체와, 그리고 러시워스의 대저택인 소더튼과 극명한 대조를 이룬다.

맨스필드 파크의 젊은이들은 소더튼 저택을 보수할지에 관해 진지한 토론을 벌인다. 헨리 크로포드는 이 분야 전문가로 추대되고, 노리스 부인은 당대 저택 보수 분야의 전문가인 험프리 렙톤을 모셔야 한다고 주장한다. 패니는 이에 그다지 열광하지 않는다. 러시워스가 보수를 한다면서 이미 "두세 개의 훌륭한 고목들"을 베어 버렸다는 것을 알고 있기 때문이다. 자기 집이 없는 패니는 단지 상상의 집을 꿈꾸며 스스로 위안할 뿐이다. 틴턴 수도원의 투명함과 이태리의 동굴, 컴버랜드의 호수가 있는 집을. 자신이라면 나무를 베어 버리는 일 같은 건 절대 하지 않을 거라고 생각한다.

맨스필드 파크는 연극 『연인들의 서약』 리허설을 하느라 북적이고, 무대 장치가 토마스 경이 하던 역할을 하며 바쁘게 돌아다니면서 보수 공사가 시작된다. 예이츠 씨는 연설 도중 고함치는 소리를 듣게 되고, 헨리와 마리아는 필요 이상으로 붙어 다니며 대본을 외운다. 최종 공연을 향해서 모든 일이 착착 진행되는 동안 전혀 예기치 않게 토마스 경이 맨스필드로 돌아옴으로써 이 모든 소동이 일시에 끝나 버린다.

토마스 경이 그리 달가워하지는 않겠지만, 때로 그는 또 다른 유형의 아버지인 틸니 장군을 떠올리게 하는 점이 있다. 예를 들어, 틸니 장군의 자식들처럼 토마스 경의 자식들은 그가 없을 때 더 행복해한다. 그는 체면에 대해 신경을 쓴다. 그는 노리스 부인과 종종 의견을 같이하며, 때로는 노리스 부인에게 자기 명령대로 할 것을 지시한다. 그는 패니가 자기 딸들과 결코 같은 등급이 아니라는 점을 확실히 교육받도록 지시한 사람이기도 하다. 그는 사랑이 아닌 돈을 보고 하는 결혼을 중단시킬 수도 있었지만 그렇게 하지 않았다. 하지만 곧이어 자식들의 비행非行이 서서히 드러나자, 오스틴은 그를 통해 다른 소설과는 매우 다른 유형의 인물을 창조해 낸다. 자신의 실수에서 배우는 아버지 말이다.

"소설의 진정한 위기는 내면의 실패—스스로를 새롭게 하려는
인간 정신의 실패—와 관련되어 있다."

– 줄리아 브라운Julia Brown

전혀 예상치 못했던 곳에서 패니가 누군가의 관심을 받아왔음이 드러난다. 토마스 경은 이 문제를 온전히 패니의 결정에 맡길 수 있을까? 물론 그렇지 않다. 패니를 설득하려는 대화가 있고, 무도회가 열린다. 누군가는 추방되고 누군가는 후회한다. 어느 누구는 심하게 앓고 나서 회복된다. 부적절한 관계와 사랑의 도피행각도 있다. 이 모든 상투적인 소재들로 오스틴은 무언가 아주 독창적인 일을 해낸다. 즉, 오스틴은 셰익스피어의 독백에 버금갈 정도로 패니 프라이스의 내면의 의식을 깊이 있게 묘사한다. 패니는 몇몇 사람이 주장하듯

이 도덕가인 척하는 고집불통이 아니다. 그녀는 도덕적으로 옳은 일을 하고자 자신의 감정과 싸우는 인물이다. 그녀가 늘 옳은 것은 아니며 실제로 그릇된 생각을 할 때도 있다. 중요한 점은 그녀가 도덕적 선을 추구하기 위해 자신과 싸워가며 노력한다는 점이다.

많은 사람들이 제인 오스틴의 삶을 조명함으로써 『맨스필드 파크』의 분위기를 설명하려 한다. 하지만 그런 식으로 작품을 바라보는 것은 그들 자신을 (그리고 오스틴을) 속이면서 이 소설의 비범함을 무시하는 것이다. 한 예술가를 상상해 보자. 그녀는 어려운 과제를 설정하고 자신이 그것을 완성할 수 있는지 시험해 보고자 한다. 그리고 그녀는 걸작을 완성해 낸다. 그녀는 상징주의를 실험했으며(106쪽 「하하에서 무슨 일이 일어났는가」 참조) 아주 개성 있는 여주인공을 창조했다. '남자가 여자를 얻었다'거나 '여자가 남자를 얻었다'는 부분은 사실 이 소설에서 크게 중요하지 않다. 오스틴은 아주 특별한 방식으로 한 공간의 의미를 탐구했다. 그리고 그녀는 자신이 만들어 가는 텍스트에 『연인들의 서약』이라는 또 하나의 텍스트를 끌어들인다. 그녀는 첫 문단에서부터 아이러니를 배치한다. "하지만 부자의 아내가 될 수 있을 정도로 예쁜 여자만큼이나 많은 재산을 지닌 남자가 이 세상에 그리 많은 것은 아니다." 걸작과 독자에 대해서도 같은 말을 할 수 있다. 이 세상에 걸작을 읽을 능력을 지닌 독자들만큼 걸작이 많은 것은 아니다.

레이디 버트램은
무슨 일을 하는가?

버트램 부인이 독자들에게 미움을 받는 것은 당연하다. 그녀는 제멋대로 구는 자녀들에게 무관심하고(사실 어찌 보면 관심을 갖는 것보다는 무관심한 것이 더 낫다), 노리스 부인이 패니에게 매정하게 대하는 것을 용인한다. 그녀는 수동적이고 둔감하며, 일반적으로 말해서 웃음거리다. 그녀가 하는 일이란 강아지를 끼고 소파에 앉아 있거나, 연극 준비로 엉망진창이 된 집안에서 졸고 있는 것, 기껏해야 무도회 날 저녁에 자기 하녀를 패니에게 보내는 것(그것도 늦게) 따위일 뿐이다. 이 소설의 레이디 버트램은 2007년 《마스터피스 시어터》 시리즈의 드라마 〈맨스필드 파크〉의 레이디 버트램처럼 날카로운 인식과 적극성을 지닌 인물이 아니다. 특히나 청혼 기회를 만들어 낼 정도의 행동력 따위는 애초에 없다. 하지만 2007년 드라마판 〈맨스필드 파크〉의 대본작가 매기 와디^{Maggie Wadey}처럼 레이디 버트램에게서 좋은 점을 발견하려고 한번 노력해 보자. "레이디 버트램은 무슨 일을 하는가?"라는 질문에 마르따 보우덴은 다음과 같은 답을 준다.

1. 패니가 맨스필드 파크에 처음 도착했을 때, 레이디 버트램은 그녀를 자신과 애완견이 앉는 소파 옆자리에 앉도록 했다(사려 깊은 어른은 아이를 순한 개 옆에 앉도록 함으로써 두려움을 없애준다).

2. 지긋지긋하게 잔소리를 해대는 노리스 부인과는 달리, 레이디 버트램은 8년 반 동안 아무런 충고도 하지 않음으로써 패니에게 평화를 제공했다.

3. 노리스 부인이 쓴 편지에 덧붙여, 그녀는 패니의 어머니에게 돈과 아기 옷들을 보내 주었다.

4. 그녀는 "연극을 할 때 우리 모두 활기에 넘쳤어요."라고 남편에게 주장했다. 그렇다, 그녀도 짜릿함을 느꼈던 거다.

5. 패니가 포츠머스에 있을 때 편지를 보냈다.

6. 아들 톰이 아주 쇠약해져서 집에 돌아왔을 때, 그녀는 진심으로 충격과 감동을 받았다.

   ....

7. 패니가 없을 때, 그녀는 '거의 매 시간마다' 패니에 대해 말했다.

   ....

8. 그녀가 뜨개질을 할 때 패니가 엉킨 털실을 풀어 주는 것을 보면 패니가 레이디 버트램을 굉장히 잘 챙긴다는 것을 알 수 있다.

   ....

9. 남편 버트램 경이 예상보다 빨리 일을 끝내고 서인도에서 돌아올 거라고 정확히 예상했다.

   ....

10. 그녀는 노리스 부인을 당혹시키는 방법을 알고 있었고, 또 그대로 행동 했다.

"네가 (윌리엄에게) 많은 돈을 주었다니 아주 기쁘구나." 레이디 버트램은 말했다. "나는 단지 10파운드만 주었거든."

"그랬구나!" 노리스 부인이 얼굴이 빨개지며 외쳤다. "정말이지, 그 아이는 주머니 가 두둑해져서 갔겠군. 런던까지 따로 제 돈을 들이지 않고 갔을 거야!"

분명히 노리스 부인은 레이디 버트램보다 훨씬 적은 돈을 주었을 것이다. 레이디 버트램은 우리가 생각하는 것 이상으로 영리하다.

하하에서
어떤 일이 일어났는가?

"태양은 빛나고 공원은 아주 활기차 보여요. 하지만 저 철문, 저 하하 울타리는 어떤 통제와 고난의 느낌을 주는군요. 저 찌르레기가 노래하는 것처럼, 나는 나갈 수 없어요." 그녀는 철문으로 걸어가며 말했다. 그는 그녀를 따라갔다. "러시워스 씨가 곧 열쇠를 가져오겠지요!"

―『맨스필드 파크』의 마리아 버트램

패니 프라이스에게 맨스필드 파크는 가질 수 없는 것투성이였다. 존중, 친구, 가족, 때로는 집 그 자체까지도 말이나. 마리아 버트램과 헨리 크로포드가 소더튼의 굳게 잠긴 철문에 맞닥뜨렸을 때, 패니는 그 철문을 넘어가려 하지 말라고 간청한다. 그들을 별로 따라가고 싶지 않았던 패니는 경고한다. "버트램 양, 그렇게 하면 아마 분명히 저 쇠창살에 다칠 거예요. 가운이 찢어지고 저 하하 울타리에 빠져버릴 거예요. 가지 않는 게 좋을 걸요." 청교도적인 패니가 음란함의 위험에 대해 설교하고 있는 것일까? 전혀 아니다. 『맨스필드 파크』에는 분명 제인 오스틴이 의도한 성적인 암시가 있지만 말이다.

하하는 저택의 손때 묻지 않은 '자연적인' 아름다움을 보존하면서도 야생 잡풀로부터 정원을 지키기 위해 사용한 특별한 장치였다. 정원 전체에 울타리를 둘러쳐서 풍경을 망치는 대신, 정원을 4~6피트 정도 되는 디딤대로 높여서 땅과 분리했다. 때로 그 디딤대는 간단한 돌 벽으로 보강되기도 한다. 이런 식이어서 집에서 밖을 내다보면 오로지 작은 언덕과 땅이 계속 이어지는 것처럼 보인다. '하하Ha-Ha', 혹은 불어로 '아아Ah-Ah'라는 이름은 손님이 디딤대가 그곳에 있다는 것을 알지 못한 채 그 끝까지 걸어가서야 비로소 놀라고 즐거워하며 내는 탄성소리에서 비롯되었다.

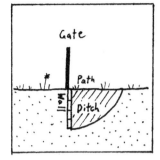
하하의 단면도

하하는 여러 가지로 조금씩 변형된다. 기본 하하는 정원을 작은 해자埃子 모양의 도랑으로 둘러싸는 것이었다. 흙으로 도랑에 길을 만들어 정원에서 바깥으로 나올 수 있게 만들었고, 들짐승들이 이 도로를 통해 들어오지 못하도록 문을 달았다.

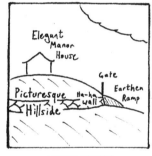
그림으로 나타낸 하하

또 다른 구조는 집과 정원이 언덕 꼭대기에 있고, 내리받이로 이어진 곳엔 돌로 벽을 만들어 낮은 땅과 계단식으로 경계를 지은 것이다. 그 중 한 지점에 정문을 만들고 흙길로 언덕과 바깥을 잇는 진입로를 만들어 사람들이 드나들 수 있게 했다. 그래서 집 창문으로 내다보면 단지 정원과 언덕, 그리고 문의 아주 작은 일부만 보인다. 문은 길 양쪽으로 조금씩 더 뻗어 있어서 동물들이 진입로에서 문 옆으로 뛰어 들어오는 것을 막는다. 마리아 버트램이 헨리 크로포드와 함께 기어 올라가 넘은 것이 바로 이 뻗어 있는 문이다. 패니는 그 문의 뾰족한 살에 마리아의 옷이 찢어지거나 하하에 빠질까 봐 걱정하는 것이다.

줄리아는 그들이 '도망'쳤다는 걸 알고는 자신도 "문을 넘어가려고 안간힘을 쓴다." 버트램가 딸들의 이런 탈선은 이들이 집안의 기대로부터 '도피'하려 했다는 걸 암시한다. 헨리 크로포드는 "러시워스 씨의 권위와 보호"를 언급하지만 그건 그녀가 결혼했을 때에나 가능한 것이지, 그녀가 하하에 빠져 버렸을 때는 불가능한 것이다. 하지만 어느 경우에서나 러시워스는 마리아를 마음대로 풀어 줄 수도 있는 힘을 가진 간수일 뿐, 마리아가 원하는 것은 바로 헨리였다. 게다가 바로 그날 소더튼에서 헨리는 줄리아와 마리아 모두에게 추파의 눈길을 보내며 서로에게 질투심을 일으키는 문제 덩어리라는 것을 증명했다. 찌르레기 새는 과연 그곳을 탈출할 수 있을까? 만약 밖으로 나온다면 새의 운명은 어찌 될까? 패니만이 그 답을 알고 있다.

그래서 쇠창살이 버트램 양의 옷을 찢을 것이라는 패니의 경고를 단지 문자 그대로만 해석해서는 안 된다. 패니는 버트램 양이 헨리가 이끄는 불명예의 나락으로 "미끄러질까 봐" 진심으로 걱정했던 것이다.

아하, 오스틴 양은 우리를 이 함축적으로 표현된 부도덕의 세계에 한번 빠져보도록 권유하고는 한바탕 웃게 만든다.

오스틴의 주브닐리아

우리는 오스틴의 전집을 죽 훑어보며 『오만과 편견』을 정확히 몇 번 읽었는지 세어 보고, 오스틴의 주요 여섯 작품을 처음부터 끝까지 반복해서 섭렵했노라고 자랑스럽게 말한다. 하지만 오스틴의 작품 모두를 읽는 것만으로는 성이 차지 않는 '제인추종자'들은 여전히 뭔가 부족함을 느낀다. 오스틴 전기에 늘 언급되는 「프레데릭과 엘프리다」나 「레즐리 캐슬」과 같은 초기의 짧은 글들은 어떻게 할 것인가? 열성 제인추종자들의 이마에 '경악'의 깊은 주름이 아로새겨진다. 불편한 심기를 뒤로한 채 제인추종자들은 더욱 오스틴 섭렵에 매진한다. 여섯 편의 오스틴 소설에 통달하고, 『왓슨 가족』을 읽으려는 확실한 의지가 있으며, 『샌디튼』마저 읽으려 할 정도면* 어디에 내놓아도 부끄럽지 않은 제인추종자라고 자부하면서 말이다. 물론 『영국의 역사 History of England』와 같이 매력적인 초기작들이 단행본으로 각각 가죽 장

* 「왓슨 가족」과 「샌디튼」 모두 오스틴의 미완성작이다.

정되어 책장에 가지런히 꽂혀 있다. 바스로 여행 갔을 때나 운 좋게 괜찮은 서점에 갔을 때 한 권씩 구해서 말이다. 이 이상 무얼 더 바라겠는가? 하지만 이렇게 스스로 만족하다가도 이런저런 덜 알려진 작품들이 언급되면 솔깃하게 마련이다.

그렇다면 오스틴의 초기작들, 소위 '주브닐리아 Juvenilia'를 어떻게 봐야 할 것인가? 이 초기작들은 분명 『설득』이나 『엠마』처럼 대중적인 인기를 받아온 작품들과는 다르다. 하지만 이런 초기작들이 『오만과 편견』과 같은 후기작의 근간을 이루고 있음은 분명한 사실이다. 주브닐리아에서의 오스틴은 비록 덜 세련되었지만 거칠고 날카로운 면모를 보인다. 여기에는 갑작스런 죽음, 투옥, 미스터리한 열병과 비밀 결혼 등 평범한 일상과는 동떨어진 이야기들이 등장한다. 불과 열 페이지도 안 되는 짧은 이야기 속에 온 세상을 다양한 방법으로 꿰뚫고 있는 것이다. 비록 후기작들에서 보이는 섬세한 플롯의 전개를 발견할 수는 없지만 오스틴 특유의 풍자와 위트가 분명히 존재한다. 「헨리와 일라이저」의 일라이저는 감옥을 빠져나오려고 두 아이를 높은 층 감옥 창밖으로 내던져 옷더미 위에 떨어뜨리는데, 그 아이들은 "완벽히 무사한 모습으로 잠에 빠져 있다." 그리고 그녀 자신은 아기들을 안은 채 고층 감옥에서 사다리를 타고 땅으로 내려온다.

20세기 초 오스틴 소설의 주요한 편집자였던 R. W. 채프먼 R. W. Chapman은 주브닐리아를 "전혀 언급할 가치가 없는" "미숙하고 미완성된 소설들"이라고 말했지만 이 소설들이 보여 주는 극적인 시간 배치와 당대 영국 사상의 조류를 반영한 점은 몬티 파이튼*의 촌극들을 닮았다. 예를 들어 「에드가와 엠마」에서 오스틴은 18세기에 유행했던, 이성보다는 감정을 강조하고 천박한 육체적 사랑보다는 '감성'을 찬미했던 감상주의 개념을 가지고 유희를 벌인다. 사랑하는 사람이 대학을 다니느라 다른 가족이 자신을 방문할 때 함께하지 않는다는 이유로 "덮쳐오는 슬픔을 제어하지 못한 채 방으로 들어가 나머지 일생을 눈물 속에 보내는" 엠마를 통해 오스틴은 당대 감상주의를 비판한다. 이런 엠마의 모습이 『이성과 감성』에서 감성을 대표하는 여주인공 마리안느 대시우드와 유사하다는 것만 보아도 우리는 이 주브닐리아의 중요성을 짐작할 수 있다. 이런 점에서 제인 오스틴의 주브닐리아는 오스틴의 주요 여섯 작품만 중요하다고 주장하는 사람들에게조차 결코 무시할 수 없는 가치를 지닌다.

오스틴은 11살 때부터 주브닐리아를 쓰기 시작한 것으로 추측된다. 오스틴이 손으로 직접 쓴 이 주브닐리아들은 총 27가지 이야기들(대략 구만 개의 단어)이 세 권의 책에 담겨 있다. 당시는 소설들이 종종 세 권으로 출판되는 것이 관행이었기 때문에(이후 오스틴의 소설들도 모두 3권의 형태로 출간되었다) 오스틴은 주브닐리아를 실은 책들에 각각 「제1권」, 「제2권」, 「제3권」이라는 제목을 붙여 놓았다. 이 소설들을 통해 오스틴은 『영국의 역사』에서처럼 당대 글쓰기를 풍자하고 실험하고자 했다. 존 핼퍼린^{John Halperin}은 주브닐리아 시절의 오스틴을 "문학 파괴 전문가"로 부른다. 줄리엣 맥매스터^{Juliet McMaster}는 주브닐리아를 쓸 당시의 오스틴은 "진지한 모

* Monty Python. 70년대 영국을 풍미한 코미디 그룹으로, 풍자적이고 지적인 코미디로 영국뿐 아니라 북미권에서까지 많은 사랑을 받았다.

습으로 모든 법칙들을 어기며 글을 쓰고 있었다.”고 말한다.

이 주브닐리아의 초고가 남아 있지는 않지만, 제인 오스틴이 나중에 집필한 소설들이 주브닐리아의 이야기들에서 발전되었다는 증거는 굉장히 풍부하다. 분명 제인 오스틴은 이 주브닐리아들이 주목받을 만한 가치가 있다고 생각했을 테지만 오스틴의 조카 제임스 에드워드 오스틴 리는 그렇게 생각하지 않았다. 『제인 오스틴 회고록』에서 그는 이렇게 말한다. “이 미성숙한 이야기들을 세상에 내놓는 것은 있을 수 없는 일이다. 마치 연극이 공연되기 전 무대 커튼 뒤에서 벌어지는 일들이 드러나서는 안 되는 것과 마찬가지로 말이다.”

앨리슨 설로웨이Allison Sulloway는 말한다. “오스틴의 주브닐리아는 이후 작품들에서 발전해 드러날 어떤 폭력적인 면과 슬픔을 갖고 있다. 오스틴은 글을 써가면서 그 폭력적인 면이 거의 드러나지 않도록 완화하는 요령을 터득했지만, 주브닐리아 「제1권」에는 처형, 사지 절단, 굶어죽는 여성, 자살, 그리고 온갖 종류의 살인이 등장한다. 모친살해, 형제 살해, 자매 살해, 원치 않았던 여자의 아기를 살해하려는 시도, 그리고 살아남은 아기가 자라서 나중에 더 폭력적으로 복수하는 이야기 등이 바로 그것이다. 그 여자 아이는 커서 군대 지휘관이 되어 자신의 적들을 살육하기도 한다.”

현존하는 세 권의 주브닐리아들은 오스틴의 가족들에게 각기 증정되었고, 「제3권」에는 오스틴의 아버지 조지 오스틴 목사가 “아주 젊은 아가씨가 완전히 새로운 스타일로 쓴 공상의 분출”이라고 쓴 기념사가 있다. 이 매력적인 기념사는 『맨스필드 파크』 영화판의 소제목으로도 적합할 것이다. 실제 이 소제목을 붙인 영화 〈맨스필드 파크〉의 감독은 코믹하면서도 감정의 분출이 드러나는 오스틴 초기 작의 스타일을 알고 있었고, 이에 근거해 소설 내내 침묵하고 있는 패니 프라이스에게도 영화에서는 말할 기회를 주었다.

『맨스필드 파크』의 영화 버전이 증명하듯이, 주브닐리아는 소리 내 읽을 때 그 진가를 알 수 있다. 많은 학자들은 오스틴이 주브닐리아를 가족들에게 큰 소리로 읽어 주었을 거라고 주장한다. 오스틴 또한 자신의 소설은 낭송되었을 때 더욱 빛을 발한다는 것을 알고 있었던 것 같다. 그녀는 소설 『캐서린Catharine』의 헌정사에서 "아름다운 카산드라와 영국의 역사가 영국의 모든 도서관 서가에 한 자리를 차지했으며 36쇄를 돌파했도다."라고 장난스레 말하고 있다. 지금 자신의 주브닐리아가 적어도 네 번의 재인쇄에 들어갔고 정말로 많은 독자들이 읽었다는 것을 알게 되면 오스틴은 뭐라고 말할까?

지금 다시 만난다면?
그녀를 몰라본 출판업자들

제인 오스틴 역시 모든 작가들이 겪는 악몽을 겪었다. 어떤 책은 수
년 간 출판업자의 서랍 속에 고이 놓여 있다가 겨우 출판되었고(『노
생거 사원』) 다른 몇 권은 그녀가 죽고 나서야 비로소 출판되었다. 그
녀는 『오만과 편견』이 그렇게 인기가 있으리라고는 예상하지 못한
채 아주 낮은 가격에 저작권을 팔아버렸다. 그녀가 점찍어둔 책 제목
을 다른 이가 먼저 쓰는 바람에 소설 제목을 바꾸기도 했다. (그래서
『첫인상』은 『오만과 편견』이 되었고, 「수잔」은
『노생거 사원』이 되었다.)

오스틴을 둘러싸고 만들어진 몇몇 '신
화'가 주장하듯이 그녀는 과연 출판을 주
저했을까? 대답은 '절대 아니었다.' 그녀는
자신이 해야 할 일을 잘 알고 있었다. 그녀
는 출판업자와의 협상에 직접 참여했고 수

입이 얼마나 되는지를 꼼꼼히 따졌다. 오스틴의 주브닐리아와 소설의 초고와 원고, 교정본을 비롯한 모든 출판물을 연구해 온 캐스린 서덜랜드는 오스틴이 "처음부터 엘리트 작가로서 출판 시장에 뛰어들어 가능한 한 높은 명성과 많은 돈을 벌기로 결심했었음을 알 수 있다"고 결론짓는다.

제인 오스틴은 스스로도 책을 많이 읽는 사람이었다. 그녀는 출판업자들이 어떤 책을 출간하고 싶어 하는지 알고 있었다. 이를테면 마리아 에지워스Maria Edgeworth나 앤 래드클리프Anne Radcliffe, 샬롯 레녹스Charlotte Lennox, 패니 버니Fanny Burney 등 당대를 주름잡았던 인기 여성작가들의 성공 요인을 알고 있었던 것이다.

섭정기 영국에서는 책을 직접 사지 않고도 읽을 수 있는 방법들이 있었다. 순회도서관이 있었고, 도서 대출 회원으로 도서관에 가입해 책을 빌려 읽을 수도 있었으며, 독서 클럽에 가입할 수도 있었다. 오스틴이 살았던 당시 영국은 거의 늘 전쟁 중이어서 책값이 상상할 수 없이 비쌌기 때문에 많은 이들이 책을 사지 않고 빌려서 읽었다. 따라서 출판업자들은 대개 개인 소장용이 아니라 순회도서관용으로 책을 출판했다. 당시 출판업자들에게 있어서 도서관은 없어서는 안 될 존재였다.

오스틴의 가족은 그녀가 십대일 때부터 책을 쓰도록 용기를 북돋웠고 그녀의 습작들을 기꺼이 경청해 주었다. 아버지 조지 오스틴은 제인이 출판을 하도록 격려했고, 1797년 오스틴의 대리인으로서 출판업자 토마스 카델Thomas Cadell에게 편지를 쓰기도 했다. 하지만 그때

보낸 원고는 바로 거절당했다. 그 원고가 『첫인상』이었다고 한다.

당시에 책을 출간할 수 있는 방법은 대략 네 가지였다. 첫 번째는 구독자를 모집해 후원을 받는 것이다. 제인 오스틴은 패니 버니가 『카밀라Camilla』를 출간할 때 이런 식으로 후원했지만 자기 책을 출간하는 데에는 이 길을 택하지 않았다.

두 번째 방법은 작가가 사비를 들여 출판사에 출간을 의뢰하는 것이다. 오스틴은 이 방법으로 『이성과 감성』을 출판했다. 출판업자 토마스 이거튼Thomas Egerton은 『이성과 감성』을 출판하고 배포하는 데에 수익의 10퍼센트를 수수료로 받았고, 책 판매를 통해 얻어지는 수입으로 제작비 등 각종 경비를 메웠다.

『이성과 감성』 출간을 기다리며 오스틴은 말했다. "나는 늘 그 책을 생각하고 있어. 마치 엄마가 젖먹이를 생각하듯이." 1811년 11월 이 소설의 제1쇄 1천 부가 출간되었다. 1813년 7월 그 1천 부가 완판되었고 오스틴은 140파운드를 벌었다. 9월에는 소설의 제2쇄가 출판되었다. 2쇄가 나왔을 때, 오스틴은 카산드라에게 "많은 사람들이 이 책을 사고 싶어 할 것 같아"라고 썼다.

오스틴이 선택할 수 있었던 세 번째 방법은 저작권을 파는 것이다. 제인 오스틴은 이 방법으로 『오만과 편견』을 출판했다. 오스틴은 저작료로 110파운드를 받았다. 1812년 11월 29일 편지에서 그녀는 말했다. "150파운드를 받고 싶었지만 모든 일이 내 마음대로 되는 건 아니지. 그가 그렇게 많은 돈을 모험에 걸려고 하지 않는 것도 이해할 만해."

『오만과 편견』은 그녀가 살아있는 동안 3쇄가 발행되었다. 물론 오스틴은 이미 저작권을 팔았기 때문에 그 소설의 인기로 더 많은 돈을 벌지는 못했다(그리고 이런 경험을 통해 오스틴은 나중에 계약을 할 때 더 현명하게 행동할 수 있었다). 『오만과 편견』 저작권료에 관해 말한 앞의 편지에서는 이런 내용도 확인할 수 있다. "이 책이 팔렸으니 헨리의 급한 사정을 해결하는 데 도움이 될 거야. 그래서 나는 아주 기뻐. 돈은 앞으로 열두 달 후에 들어올 거야." 당시 헨리 오스틴은 제인 오스틴의 대리인 역할을 했다. 당시에는 여성 작가를 대신해서 남성 친척이 출판업자와 협상을 하는 것이 관례였다. 하지만 오스틴은 점차 자신이 직접 출판업자와의 협상에 나서게 된다.

오스틴의 편지들은 그녀가 책을 출간하는 일에 밀접히 관여했다는 것을 말해 준다. 앞의 편지에서 보면, 오스틴은 저작권료를 더 받기를 원했고, 『이성과 감성』이 매우 성공적이었다는 것을 알고 있었고, 또한 언제 돈이 들어올지도 알고 있었다. 오스틴은 처음 출간된 소설의 초판본을 가져다가 "나의 귀여운 아이"라고 부르며 그 가격을 적어 놓았다. 오스틴과 가족은 이웃들에게 기회가 되면 소설을 큰 소리로 읽어주곤 했다(물론 작가가 누구인지는 말하지 않은 채로 말이다). 오스틴은 책이 사람들에게 어떻게 비추어질지, 어떤 반응을 얻을지, 가격이 얼마나 될지, 그리고 어떻게 광고될지에 관심이 많았다. 어느 편지에서 그녀는 오타를 지적하기도 했다. 오스틴은 자신의 소설이 출판되는 것에 대해 아주 깊은 관심을 갖고 깊이 관여했던 것이다.

칭찬과 돈

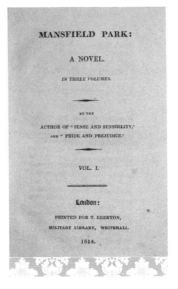

『오만과 편견』의 성공으로 오스틴은 몇 가지 문제에 더 관심을 갖게 되었다. 첫 번째로 오스틴은 이거튼이 『이성과 감성』 때보다도 『오만과 편견』의 정가를 더 비싸게 책정했다는 걸 알게 되었다(그는 『이성과 감성』보다도 『오만과 편견』에서 더 많은 돈을 벌었다). 둘째, 그녀는 저작권을 파는 것이 출간 의뢰를 하는 것보다 수익 면에서 손해라는 걸 알게 되었다. 그래서 그녀는 세 번째 소설 『맨스필드 파크』를 출간할 때에는 인세를 받는 조건으로 계약하고 일단 적은 수의 초판을 찍었다.

1814년 『맨스필드 파크』가 처음 출간되었을 때의 속표지. 여전히 익명이긴 하지만 오스틴이 이전에 출간한 『이성과 감성』이나 『오만과 편견』과 같은 작가의 것임을 알리고 있다. 『이성과 감성』이 첫 출간되었을 때와 달리 오스틴은 더 이상 '어느 여성[A LADY]'이 아니라 출판 이력을 인정받는 '저자[AUTHOR]'로 책을 내게 되었다.

　『맨스필드 파크』는 『오만과 편견』보다 더 빨리 매진되었다. 2쇄를 고려하던 때에 오스틴은 다음과 같이 말한다. "내가 위험을 무릅쓰고 2쇄에 들어가야 할지는 아직 결정하지 못했어. 오늘 이거튼을 만나서 얘기하면 결정이 날 거야. 사람들은 책을 사기보다는 단지 빌려 보고 책을 칭찬할 뿐이거든. 물론 나도 다른 사람들만큼이나 칭송받기를 좋아하기는 하지만 에드워드가 '백랍(pewter : 속어로 돈이라는 뜻)'이라고 부르는 것도 그만큼 좋아해."

이거튼이 2쇄를 출간
하지 않겠다고 하자 그녀
는 출판업자를 바꾸었다.

헨리는 출판업자 존 머
레이^{John Murray}와『엠마』의
출간에 관해 협상했다.
오스틴은 편지에 썼다.
"머레이 씨의 편지가 도

제인 오스틴 시대의 영국 동전

착했어. 물론 그 사람도 사기꾼이긴 하지만 좀 더 정중하지. 그는 저
작권료 450파운드에『맨스필드 파크』와『이성과 감성』의 저작권까
지 끼워 팔라는 조건을 제시했어. 그렇게 되면 더 이상 내가 알아서
위험을 감수하고 출판하는 일은 없게 되는 거지. 그는 내가 기대했던
것보다 더 많은 칭찬을 해주더군."

하지만 오스틴은 머레이에게 수수료를 지급하는 조건으로 책을
출간하는 데 동의한다. 오스틴의 출판 문제를 깊이 연구한 잰 퍼거
스^{Jan Fergus}는 오스틴이 머레이의 "제안을 받아들이는 것이 더 나았을
것"이라고 말한다. 그녀는 1년 안에 450파운드의 돈을 받을 수도 있
었다. 그 반면에 머레이는 큰 위험을 감수하지 않고『엠마』를 2천 부
출간했다. 1816년『엠마』는 1,200부가 팔렸다. 하지만 1816년 2월
출간된『맨스필드 파크』2쇄 출간은 손해였다.『맨스필드 파크』의 손
해와『엠마』의 이익을 계산해 보면 오스틴은 39파운드를 벌었을 뿐
이다.

캐스린 서덜랜드에 따르면, 오스틴이 소설을 출간하려 노력할 당시에는 1년에 대략 60~80권 정도의 책들이 출간되었다. 일반적으로 신간의 초판부수는 500~700부 정도였다. 『엠마』를 1쇄에 2천 부나 출간했다는 것은 당시로서는 정말로 대단한 일이었다. 또한 『엠마』를 출간해 준 머레이를 만난 것은 오스틴이 작가로서 한 단계 승격되었다는 의미이기도 하다. 그는 바이런 같은 유명 시인들의 작품을 출판했지만 소설은 많이 다루지 않고 있었다. 출판업자를 머레이로 바꿈으로써, 오스틴은 더 많은 책들을 출간할 기회를 얻었고 책은 더 근사해졌다. 또한 오스틴은 월터 스콧Walter Scott에게서 첫 번째 리뷰를 얻기도 한다. "데뷔한 지 4년 만에 머레이라는 출판업자를 만남으로써 제인 오스틴은 명실공히 인기작가의 반열에 들어섰다"고 서덜랜드는 말한다.

M.A.D.?

오스틴의 소설 중 첫 번째로 출간된 소설은 사실 그녀가 출간하려고 출판업자에게 맡긴 첫 작품은 아니었다. 그리고 이 사실은 당연히 오스틴의 마음을 불편하게 했다. 그녀가 1803년에 벤자민 크로스비Benjamin Crosby에게 팔았던 「수잔」(이후 『노생거 사원』이라는 제목으로 출간)이 출간되지 않은 채 수 년 간 그의 서가에 놓여 있었던 것이다.

어째서 크로스비는 「수잔」을 출간하지 않은 것일까? 1932년 소설가 레베카 웨스트Rebecca West는 이렇게 상상했다. 처음에 그 출판업자는 원고를 대충 훑어보고는 이렇게 생각했을 것이라고. "쉬운 영어로 쓴 발랄한 이야기구만. 바스에서 살아본 적 있는 시골 아가씨가 알량한 경험을 쉬운 문체로 끼적거린 거야. 순회도서관용으로 출간하면 그리 나쁘진 않겠어." 그리고 그는 10파운드를 지불했다. 그러고 나서 책을 다시 읽어 보았다. "그런데 이건 내가 출간한 책들을 비웃는 것 같잖아? 이런 젠장!" 그는 그 책을 책장 한 구석에 처박아 버렸다. 만약 한참 뒤에 크로스비가 구석에 처박아 둔 책이 『오만과 편견』 저자의 것이란 걸 알았다면 그 책은 아마 출간되었을 것이다. 하지만 그 소설은 출판업자의 서가에 오랫동안 맥없이 놓여 있었다. 제인 오스틴은 1809년 4월 5일 '애쉬톤 데니스 부인Mrs. Ashton Dennis', 즉 이니셜 'M.A.D.'로 출판업자에게 편지를 보내서 자신의 소설이 6년째 출간되지 않은 상태임을 알리며 만약 출판을 위해 원고 사본이 필요하면 (혹시 원고를 잃어버리거나 했을까 봐) 보내 주겠다고 했다(그녀는 이미 원고를 한 부 더 만들었던 것이다!).

하지만 아버지 벤자민 크로스비를 대신해 아들 리처드 크로스비는 만약 오스틴이 다른 곳에서 이 소설을 출간하면 고소할 것이지만 10파운드만 주면 원고를 되돌려주겠다는 답장을 보냈다. 오스틴은 당시 10파운드가 없었던 것 같다. 그래서 1816년에야 비로소 헨리 오스틴이 협상을 벌였다. 크로스비는 10파운드에 출판권을 되돌려주겠다는 조건을 다시 내걸었다. 헨리는 10파운드를 지불하고 난 다음, 비로소 이 홀대받은 소설의 작가가 바로 제인 오스틴이라는 사실을 말해 주었다.

『수잔』이라는 제목의 다른 소설이 이미 1809년에 출간되었기 때문에, 오스틴은 주인공 이름을 캐서린으로 바꾸었다. 오스틴은 소설 서문에 이 이야기는 원래 오래 전에 출간될 예정이었으나 당시 헨리는 파산 상태였고 자신의 건강이 몹시 좋지 않았기 때문에 뒤늦게 출간한다고 밝혔다. 1817년 3월 13일 편지에서 오스틴은 "캐서린 양이 현재 책장에 꽂혀 있고, 그녀가 언제 세상에 나올지 모르는 상태"라고 썼다. 오스틴은 그해 7월에 사망했다. 곧이어 헨리와 카산드라는 그 소설에 『노생거 사원』이라는 제목을 붙이고, 여기에 『설득』을 덧붙여서 존 머레이와 출간 문제를 논의했다. 머레이는 출간에 동의했고, 1817년 12월 레이디 아버콘에게 보내는 편지에서 이렇게 말한다. "나는 지금 두 권의 매우 짧지만 아주 독창적인 소설을 인쇄하고 있습니다. 둘 다 『오만과 편견』을 쓴 고故 오스틴 양의 소설들이지요." 헨리 오스틴은 이 두 짧고 독창적인 소설들에 「저자 전기」를 붙였다.

이로써, 오스틴은 처음으로 자신의 소설에 저자로서 이름을 올리게 된다.

"제인 오스틴이 등장했다"

캐스린 서덜랜드에 의하면, 『엠마』가 출간되고 출판업자를 존 머레이로 바꾸면서 비로소 제인 오스틴이라는 작가가 세상에 이름을 알리게 되었다. 하지만 그렇다고 오스틴의 앞날이 마냥 순탄한 것만은 아니다. 1817년에 오스틴은 자신이 얼마나 벌었는지를 계산해 보았다. 모두 600파운드였다.

『이성과 감성』의 1쇄로 **140파운드**

『오만과 편견』의 저작권료로 **110파운드**

『맨스필드 파크』 1쇄와 『이성과 감성』 2쇄로 **350파운드**

머레이는 오스틴이 사망한 지 4년 뒤인 1821년에 오스틴 소설의 재고를 처리했다. 카산드라와 헨리는 250파운드에 『오만과 편견』의 판권을 리처드 벤틀리에게 팔고 나머지 소설의 판권을 머레이에게 팔았다. 벤틀리는 1833년에 『오만과 편견』을 다시 출판했다. 20세기

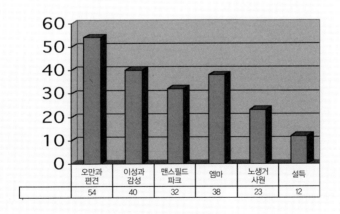

제인 오스틴 소설, 몇 쇄나 찍었나?(1818~1976)

	오만과 편견	이성과 감성	맨스필드 파크	엠마	노생거 사원	설득
	54	40	32	38	23	12

해외 번역본과 축약본, 혹은 학교 교재용을 제외한 1818년부터 1976년까지 제인 오스틴 소설의 출판 현황이다. 출처는 『제인 오스틴 전집 케임브리지 판』에 있는 『노생거 사원』에 바바라 베네딕트와 데이어드르 르 페이에가 붙인 서문이다.

말까지 오스틴의 소설들은 '칙릿'*으로 분류되었다. 지금 21세기에 오스틴은 로맨스 소설 분야에서 10대들이 가장 사랑하는 작가로 다시 각광받고 있다. 제인 오스틴은 찬사를 받고 출판업자들은 돈을 버는 것이다.

* Chic—lit. 젊은 여성을 일컫는 속어 '칙(chick)'과 문학(literature)의 '릿(lit)'을 합친 신조어로, 젊은 여성을 겨냥한 소설들을 지칭한다.

엠마
EMMA

예쁘고 똑똑하고 부유한데다 편안한 가정과 낙천적인 성격을 지닌 엠마 우드하우스는, 처지가 많이 다른 앤 엘리엇을 제외하면 오스틴 소설에서 유일하게 결혼의 압박을 받지 않는 인물이다. 또한 많은 비평가들이 지적해 왔듯이, 엠마는 오스틴 대표작의 주인공들 중에서 유일하게 제목에 자기 이름을 올린 인물이기도 하다(물론 엠마 외에도 자기 이름을 소설 제목으로 올리는 영광을 누릴 뻔했던 여주인공들이 있다. 『이성과 감성』의 원제는 '엘리노어와 마리안느'였고, 『노생거 사원』에 오스틴이 원래 붙인 제목은 '캐서린'이었다). 엠마 이름을 책 제목에 올린 것은 이 소설에서 엠마의 의식이 거의 모든 내러티브를 이끌고 있기 때문에 당연해 보이기는 하지만 한편으로는 소위 조연 캐릭터들 역시 상당한 중요성을 차지하고 있다. 사실 『엠마』의 배경이 되는 하이버리라는 마을과 그 마을 주민들은 다른 오스틴 소설들의 배경과 주변 인물들에 비해 상당한 비중과 중요성을 차지한다.

서로 긴밀히 연결되어 있는 하이버리 사람들은 이 소설의 정적인 배경 때문에 특별한 중요성을 갖는다. 하이버리에는 사교계 데뷔 시즌도 없고, 헌스포드나 데본셔처럼 방문할 만한 다른 지방도 없다.

정말 아픈지, 아니면 단지 신경질
을 부리고 있는 것인지 알 수 없는
아버지와 단 둘이 살고 있는 엠마
의 의식이 전체 내러티브에 너무
도 밀접히 연결되어 있어서 소설
자체가 시공간적으로 제한되어 있
다. 박스 힐로 소풍간 것을 제외하
면 『엠마』는 오로지 하이버리와 그
에 인접한 하트필드, 돈웰 애비만
을 배경으로 한다.

이렇게 좁은 반경 안에서 일어난 사건의 결과들은 많은 경우 예측
하기가 쉽다. 당연하게도 마을 사람들이 서로 잘 알고 있기 때문이
다. 따라서 마을 사람들은 외부에서 온 사람들과의 사귐을 통해 얻을
장점과 단점도 이미 안다. 똑똑하고 부유한 엠마가 이렇듯 좁고도 뻔
한 만남만을 허용하는 환경에 지루해할 것은 너무나 당연하다. 이 지
루하고 좁은 마을에 알려져 있지 않거나 미스터리한 요소들이 들어
왔을 때 소동이 일어나는 것도 당연하다.

『엠마』는 미스터리한 것을 비롯해 그 안에 포함된 모든 요소들을
아주 적절하게 다루고 있는 작품이다. 소설은 이 마을에 일어난 변화
를 기록하는 것으로 시작하는데, 이로 인해 여러 인물들이 엠마 못지
않게 소설에서 중요한 역할을 차지하게 된다. 먼저, 엠마의 가정교사
였던 테일러 양이 결혼해서 이제는 웨스턴 부인이 된다. 이 소설은

하트필드에서 치러진 테일러 양의 결혼식에 다녀온 엠마와 그녀의 아버지인 우드하우스 씨를 소개하며 시작한다. 우드하우스 씨가 연신 내뱉는 "불쌍한 테일러 양"이라는 탄식은 앞으로 하트필드에 다가올 변화에 대한 그의 반감을 상징한다. 엠마는 온화하고 정숙한 웨스턴 부인과 더 이상 한 집에서 가까이 지낼 수 없게 된 것을 아쉬워한다.

근처 돈웰 애비의 주인인 나이틀리 씨는 엠마의 집에 잠시 들러 그날의 결혼식에 대해 묻는다. 그날 밤 날씨가 포근했기 때문에 나이틀리 씨는 난로에서 멀리 떨어져 있으려 했지만 우드하우스 씨는 그가 감기에 걸릴까 봐 걱정한다. 이 첫 장면은 끊임없이 이어질 우드하우스 씨의 건강 걱정을 보여주는 동시에, 총 71회에 걸쳐 펼쳐질 나이틀리 씨와 엠마 사이의 입씨름이 시작되었음을 알린다. 이들 간의 친밀한 관계는 소설 전체에 걸쳐 지속된다.

『엠마』에는 네 명의 신랑감과 어머니 없는 아가씨 세 명이 등장한다. 지역 유지로서 치안 판사인 조지 나이틀리 씨와 엘튼 목사, 프랭크 처칠, 로버트 마틴이 전자에 속하는 그룹이고, 엠마, 해리엇 스미스, 그리고 제인 페어팩스가 후자의 아가씨들이다. 이제 그들 삶 속에 로맨스가 끼어들게 되는데, 등장인물들은 이 로맨스로 인해 혼란스러워하는 동시에 여러 가지 행동으로 서로 간의 로맨스를 혼란시키기도 한다.

테일러 양과 웨스턴 씨의 성공적인 결합이 온전히 자신의 훌륭한 중매 솜씨 덕분이라고 확신한 엠마는 중매쟁이로서의 재능을 더 발휘해 보기로 결심한다. 엠마는 (사실 그녀를 아내감으로 점찍고 있던) 엘튼 목사를 다음 목표로 삼는다. 이런 엠마의 눈에 엘튼의 완벽한 짝이 등장했으니, 바로 고다드 부인이 운영하는 학교 출신인 해리엇 스미스다. 해리엇은 부모가 누구인지 모르는 천진난만한 소녀로, 예쁘고 귀여운 그녀가 엠마의 마음을 사로잡았다. 해리엇과 엘튼이 완벽한 짝이라 생각하며, 엠마는 이 둘을 함께 붙여놓으려고 계획을 세우느라 부산스럽게 움직인다. 엘튼 씨가 지켜보고 있는 가운데 해리

익명의 기부자가 제인 패어팩스에게 선물한 피아노는 하이베리 사람들을 의문에 휩싸이게 만들었다.
또한 엠마는 제인 패어팩스의 "뛰어난 목소리와 연주 능력은 숨길 수 없으며,
자신은 도저히 따라갈 수 없다"는 사실을 새삼 깨닫게 되었다.

엇의 초상화를 그린다든지, 셋이서 산책하다가 신발 끈이 풀어진 척 하면서 둘이 오붓하게 걸을 시간을 내준다든지, 엘튼 씨의 입에서 해 리엇의 예의범절이며 미모에 대한 찬사가 나오도록 유도하는 등 말이 다. 엠마의 모든 노력에 대해 엘튼은 열정적인 찬사로 응답한다. 엠마는 엘튼이 보내는 찬사가 당연히 해리엇을 향한 것이라고 생각 하며, 해리엇이 엘튼 씨와의 결혼에 성공할 거라고 확신한다. 이로 인해 엠마는 용서받을 수 없는 실수를 저지르게 된다. 해리엇이 사 람 좋은 청년 농부인 로버트 마틴의 청혼을 거절하도록 부추긴 것이 다. 사실 해리엇이 진짜 호감을 갖고 있던 이는 마틴이었는데도 말이 다. 나이틀리 씨는 엠마에게 말한다. "당신처럼 잘못된 판단을 하느 니 아예 판단을 안 하고 사는 것이 낫겠군."

곧 마을에 두 명의 낯선 이들이 올 것이라는 소문이 돈다. 비가 올 지 안 올지 같은 것들이 엄청난 관심거리가 되는 하이버리 마을에, 한 번에 두 명의 새로운 젊은이들이 올 것이라는 소문은 사람들이 몇 시간이고 몰두해 수다를 떨 만큼 대단한 화젯거리였다. 제인 페어 팩스가 그 중 먼저 도착한 새로운 사람이었다.

하이버리 사람들이 새로 온 이웃의 뛰어난 노래와 피아노 솜씨에 사로잡힌 지 얼마 지나지 않아, 마을에 충격적인 소식이 들려온다. 불과 얼마 전에 바스로 떠난 엘튼 목사가 1만 파운드의 지참금을 지 닌 호킨스 양과 벌써 약혼했다는 것이다. 이제 마을에 도착할 것으로 기대되는 사람들은 다시 두 명으로 늘었다. 엘튼 부인, 즉 호킨스 양 과 프랭크 처칠이라는 젊은이다.

엠마는 엘튼 부인과 하트필드에서 만나 처음 대화를 나누지만 곧 그녀의 잘난체하는 태도와 천박함에 거부감을 느낀다. 엘튼 부인은 비록 만난 지 얼마 안 된 사이라 할지라도 누구에게나 호들갑을 떨며 친한 척하는, 속물적인 부류의 사람이다. 엠마는 엘튼 부인이 "나이틀리(그녀는 심지어 존칭도 붙이지 않는다!)"에게 입에 바른 칭찬을 해대고 웨스턴 부인이 가정교사 출신이면서 그렇게 우아한 예의범절을 갖추다니 놀랍다고 말하는 것에 기분이 나빠졌다. 엘튼 부인은 이어서 해리엇과 제인을 깔보는 듯한 태도로 엠마의 심기를 계속 건드린다.

이제 우리는 모르는 사이에 하이버리 사람들의 삶에 빠지게 되었다. 그것은 마치 베이츠 양과 같이 마을에 일어난 일들을 항상 전해주는 사람을 이웃으로 두고 사는 것과 같다. 이 상냥하면서도 수다스러운 베이츠 양은 무슨 일이 되었든 비밀을 지키지 못하는 사람이지만 『엠마』의 이야기는 비밀과 그 비밀을 지키는 사람과 밀접히 연결되어 있다. 소설을 채우고 있는 퍼즐과 수수께끼, 말놀이 등이 비밀을 말해주는 힌트다. 해리엇의 몸짓 암호(엘튼 씨의 것을 포함해) 모음에서부터 엠마와 프랭크 처칠, 그리고 해리엇이 하는 철자 바꾸기 게임에 이르기까지, 『엠마』에는 말놀이가 넘쳐난다. 이 소설 자체가 작은 수수께끼들로 가득 차 있는 하나의 큰 수수께끼다. 심지어는 글자들 자체도 서로 엇갈려 있다(한 페이지의 편지가 다 채워졌으면, 편지를 90도 회전해 다른 단어 위에 글씨를 쓰는 식이다.)

레지날드 페러는 『엠마』를 오스틴의 "소설 중의 소설"이라고 불렀다. 이 소설은 안에 다른 책을 포함하고 있는 책이기도 하다. 『엠마』 안에는 숨겨진 또 하나의 소설이 있다고 한다. 어떤 사람들은 이 책을 추리 소설 같다고도 한다. 수수께끼와 편지들이 암시하듯이, 암호 해독이 이 소설의 주제다. 우리는 우리 주의를 딴 곳으로 분산시키는 소소한 것들, 잃어버린 실마리들을 찾기 위해 이 소설을 다시 읽게 된다. 책을 읽으면서 우리는 스스로 얼마나 대책 없는 존재들인지 깨닫는다. 마치 엠마처럼 말이다. 이 책의 결말에는 비밀들이 밝혀지고, 마을에 몇몇 변화가 일어난다.

많은 사람들이 엠마를 잘난 체하는 인물이라고 생각하지만, 사실 진짜 잘난 척이 무엇인지를 보여주는 인물은 어거스타 엘튼, 즉 엘튼 부인이다. 진짜 잘난 척이란 "으리으리한 사륜마차"를 운운하고, 주제넘게 굴며, 강자에게 친한 척하고, 치사하고 잔인하게 구는 것이다. 리차드 젠킨스가 만든 오스틴 소설의 악당 목록에 따르면, 엘튼 씨 부부는 악당은 아니다. 엘튼 씨는 비열하고 엘튼 부인은 천박하고 이기적이지만, 그들은 예컨대 윌로비나 루시 스틸처럼 "여주인공의 삶을 좌지우지할 만한 힘이 있지는 않기 때문이다." 그렇다면 누가 악당인가? 아, 알 수 있는 실마리가 있다.

책의 결말에 엠마는 남들에 대해서 뿐만 아니라 자기 자신에 대해서도 많은 것을 발견하게 된다. 그녀는 커다란 변화에 대처하는 방법을 배웠지만, 변하지 않는 것도 있다. 예를 들어 그녀 아버지의 난로는 변함없이 사람들을 찌푸리며 뒤로 물러서게 만들 것이다.

탐정 나이틀리의 편지

처칠 부인의 죽음은 단지 우연히 일어난 행운일까, 아니면 더 불길한 무언가를 암시하는 것일까? 우리는 나이틀리 씨가 처칠 부인의 죽음에 대해 탐정과 같은 마음가짐으로 추측했으리라 생각되는 것을 아래의 편지에 상상해서 기술해 놓았다. 어쨌든 그는 프랭크 처칠을 의심스럽게 여겨온 사람이니 아래의 내용도 그가 처칠의 행동에 대해 추측한 것 중 하나로 봐주시길.

엠·마·에·게

내가 당신에게 하는 이 이야기는 완전히 비밀이오. 오늘 사업차 런던에 갔다가 나는 아주 무시무시한 사실 하나를 발견해 내었소. 오늘 오후 나는 프랭크 처칠의 경리 사원을 만났소. 당신이 기억하듯이 처칠은 내게 현재 그의 아내가 된 제인 양에게 줄 브로드우드 피아노를 살 돈을 약간 빌려달라고 했더랬소.

나는 그의 인격에 관한 의구심을 풀기 위해 모든 일이 잘 되어가고 있는지를 확인해 보고 싶었소. 그래서 처칠의 회계장부와 영수증을 살펴보다가 우연히 6월 25일, 처칠의 숙모가 죽기 전날의 원장부 부분을 보게 되었소. 거기에는 사소한 두 가지 물건과 중요하지만 뭔지 확인되지 않은 한 가지 물건 구입이 기록되어 있었소. 구입한 장소만 기록되어 있었지. 치체스터 앤 선즈라는 가게였소.

모임이 끝나자마자 나는 그 가게가 있는 곳을 알아냈는데, 그곳을 보고 나니 호기심이 더 발동했소. 그곳이 연금술에 필요한 잡다한 물건들을 파는 가게였기 때문이오. 장부에 기록된 것과 비슷한 가격대의 물건들을 찾다가 약들을 담아

놓은 갈색 병들이 진열되어 있는 작은 복도에 다다랐소. 서너 개의 병들이 내가 본 그 가격과 맞더군.

나는 나이 든 가게 주인에게 처칠처럼 생긴 사람이 그 물건들을 사가지 않았느냐고 물어 보았소. 그는 그렇게 생긴 사람에게 물건을 팔았다고 말하며 사간 약들을 알려 주었소. 나는 그에게 감사하다고 말하고는 서둘러 가게를 나왔소. 내 학창시절 친구였던 의사를 찾아가서 약의 쓰임에 대해 물어 보려고 말이오.

엠마, 내가 하려는 이 끔찍한 이야기를 듣고 부디 놀라지 말기를 바라오. 내 의사 친구는 그 약의 효능에 대해 알려 주었소. 그것은 화학 실험에서 사용되는 아주 위험한 약품들이지. 나는 만약 그 약을 사람이 마시면 어떻게 되느냐고 물었소. 친구가 대답하길, 그 약들을 먹으면 급성 심장마비에 걸린다더군.

나는 처칠이 당신에게 보낸 편지에서 숙모의 죽음으로 인한 "마음의 혼란"과 "해야 할 많은 일들"을 언급했던 것을 기억하오. 나는 처칠의 이런 말들이 숙모를 떠나보낸 조카의 슬픔이 아니라 살인자의 죄의식이라고 거의 확신하오. 제인 처칠이 박스 힐에서 처칠을 보기 전까지 그 어떤 편지도 그에게서 받지 못했다는 것이 이해가 되지 않아요. 좀 더 생각해 보면, 그녀는 이미 자신이 돈을 벌 필요가 없다는 걸 알고 있었던 건 아닌가 하는 생각이 든단 말이오. 나는 그들이 이 살인을 공모한 건 아닌지 의심이 드오. 제인이 인내심을 잃고 그를 떠나려 했고, 건강이 몹시 좋지 않았던 숙모가 갑자기 건강을 회복하자 처칠이 무고한 그녀의 죽음을 앞당겼던 건 아닌지.

이것은 다른 사람에게는 절대로 발설하지 마시오. 그리고 베이츠 양을 아주 면밀히 관찰해 보시오. 성마른 처칠이 이 수다쟁이 여인을 다음 희생물로 삼을지도 모르니까 말이요. 가능한 한 서둘러 돌아가겠소.

사랑과 두려움을 담아
나이틀리

엠마의 '한여름 밤의 꿈'

라이샌더 : 아! 지금껏 숱한 책을 읽고 이야기를 들어 왔지만

　　　　　진정한 사랑의 길은 결코 평탄치 않소.

　　　　　신분이 차이가 난다든가—

허미어 : 괴로운 일이네요. 신분이 너무 높아서 사랑을 할 수 없다니.

라이샌더 : 아니면 나이가 너무 차이 난다든지—

허미어 : 저런! 나이가 너무 많아 사랑할 수 없다니.

라이샌더 : 아니면 친구들의 선택을 기다려야 한다든가—

허미어 : 이런! 다른 사람이 연인을 선택해 준다니!

　　　　　　　　- 셰익스피어의 『한여름 밤의 꿈』 제1장 1막 중에서

"하트필드에는 사랑을 올바른 방향으로 이끌어 주는 무언가가 있는 것 같아. 진정한 사랑의 길은 결코 평탄하지 않다. 하트필드 판 『한여름 밤의 꿈』에는 이 대사에 아주 긴 각주가 붙을 거야."

— 엠마가 해리엇 스미스에게 보내는 편지

셰익스피어의 『한여름 밤의 꿈A Midsummer Night's Dream』이 『엠마』의 탄생에 그 어떤 영감을 주었을까? 아니, "진정한 사랑의 길이 순조로울 수 있을까?"라는 질문을 해보자. 오스틴은 『엠마』를 통해 셰익스피어와 같은 대답을 한다. 그럴 것 같지 않다고.

『엠마』처럼 『한여름 밤의 꿈』은 얽히고설킨 애정과 사회적 논평으로 시작한다. 라이샌더와 허미어는 서로 사랑에 빠지지만 또 다른 청년 디미트리우스가 눈길 한 번 주지 않는 허미어를 사랑한다. 그리고 디미트리우스는 아름다운 헬레나에게 구애를 받는다. 라이샌더와 허미어에게는 안된 일이지만 아테네의 공작이자 아마존 여왕 이폴리타의 약혼자인 테세우스는 디미트리우스가 허미어를 사랑하는 한 허미어는 디미트리우스와 결혼하든지, 수녀가 되든지, 아니면 제단에 목숨을 바치든지, 이 셋 중에 하나를 선택해야 한다고 명령한다. 그것이 고대 아테네의 법률이었다.

라이샌더와 허미어에게는 정말이지 암울한 상황이다. 그들은 근처 숲으로 도망가는 것이 최선의 방법이라고 결정하고 도망치기로

하는데, 하필 그 숲은 요정들이 출몰하는 곳이다. 이 요정들 중에 숲의 왕과 왕비인 오베론과 티타니아가 있고, 또한 '교활하고 장난기 많은 꼬마요정' 로빈 굿펠로우, 일명 퍽이 있다.

사랑하는 허미어가 도망쳤다는 걸 안 디미트리우스는 그녀를 찾아 나서고 그 뒤를 헬레나가 쫓아간다. 밤이 되자 퍽은 잠이 든 인간들 눈에 사랑의 묘약을 발라 놓는다. 퍽의 실수로 라이샌더와 디미트리우스가 모두 헬레나를 사랑하게 된다. 다행히도 곧 오베론이 손을 써서 이 꼬여 버린 연인들의 끈이 알맞게 정리된다. 결국 라이샌더와 허미어가 다시 함께 하고, 디미트리우스와 헬레나가 서로 사랑하게 된다.

이들의 관계가 마무리되기 전에, 오베론은 자신을 위해 한 가지 술수를 쓴다. 바로 그 사랑의 묘약을 이용해서 티타니아가 이 요정의 숲에서 공연하던 유랑극단 배우인 못생기고 멍청한 바텀을 사랑하게 만드는 것이다. 바텀이 당나귀로 변하기까지 해서 티타니아는 더욱 창피를 당한다.

새벽이 밝아오자 모든 것이 제자리로 돌아가고, 라이샌더와 허미어, 디미트리우스와 헬레나, 테세우스와 이폴리타, 오베론과 티타니아, 이 네 쌍의 연인들은 모두 행복해진다. 바텀의 극단도 '가장 슬픈 희극, 그리고 피라무스와 씨스비의 잔혹한 죽음'이라는 연극으로 경연에서 우승을 차지한다. 『한여름 밤의 꿈』에서 불행한 결말을 맞은 유일한 커플은 극중 연극에서 사자에게 물려 죽는 피라무스와 그를 따라 자살하는 씨스비이다.

오스틴의 소설에는 처녀가 자살한다거나 사자에게 잡아먹히는 일 따위는 등장하지 않지만, 『엠마』의 복잡하게 얽힌 남녀관계는 『한여름 밤의 꿈』이 보여 주는 코믹하게 뒤엉킨 관계와 유사하다. 두 작품에 나타나는 연인 관계들이 정확히 일대일 대응관계를 이루는 것은 아니지만 이 작품들의 플롯에는 공통 패턴이 있다. 예를 들어, 연극이 시작되기 전 디미트리우스가 헬레나를 이끌어 온 것은 하트필드로 오기 전 프랭크 처칠이 제인 페어팩스와 약혼을 한 것과 유사해 보인다. 각 이야기의 두 여성, 헬레나와 제인이 변함없는 사랑을 보이는 반면에 남성들은 마치 동네 건달같이 군다. 디미트리우스는 소설 전반에 걸쳐 헬레나가 아닌 허미어를 사랑하고, 처칠은 제인과의 관계를 숨기기 위해 이 여자 저 여자를 좋아하는 척한다. 헬레나가 "공상을 싫어하고 창백한 볼"을 지닌 여성인 것처럼 제인은 "아프고 지친 모습"의 여성이다.

처칠과 엘튼 목사는 바텀처럼 "거짓된 우격다짐의 사랑"을 받는 인물이다. 엠마는 스스로 처칠을 사랑한다고 생각하고 해리엇에게는 해리엇이 엘튼 씨를 사랑한다는 확신을 준다. 해리엇을 통해 당나귀 엘튼의 본모습을 본 엠마는 처칠을 향한 감정 역시 진실하지 않았음을 깨닫는다. 이 소설에서 여성들은 결국에는 오베론과 다시 이루어지게 된 티타니아처럼 진실한 짝을 찾는다. 머리를 손질하러 런던에 가겠다고 말하는 프랭크는 "이발사에게 가아 하는" 바텀과 연결될 수 있다.

이런 식으로 두 작품을 계속 연결 짓다 보면, 마틴과 나이틀리가 오베론에 해당하게 된다. 이 연결은 기이할 정도로 정확히 들어맞는다. 나이틀리는 오베론의 귀족적인 면에 일치하고, 농부 마틴은 요정들이 자연과 땅에 연관된다는 점에서 오베론과 일치한다. 요정이 하늘과 땅 '사이'에 존재하듯이, 오베론은 이 두 인물 '사이'의 어느 중간에 위치한 존재다. 셰익스피어에게 있어서 요정은 깨어 있는 세계와 꿈의 세계 '사이'에 존재한다. 기독교화 된 민담에서 요정은 천상과 지옥 사이에 존재하며 그 어느 쪽으로도 들어갈 수 없는 존재로 등장하는 것처럼 말이다.

하지만 기다리시라. 훨씬 더 어울리는 짝, 『한여름 밤의 꿈』의 대미를 장식하는 테세우스와 이폴리타의 결혼에 대응하는 엠마와 나이틀리의 장엄한 결혼이 있으니. 테세우스와 이폴리타의 결혼이 아테네에 정치적 안정을 가져오듯이, 나이틀리의 결혼은 그의 소작농들에게 안정을 가져온다. 어쩌면 웨스턴 부부의 결혼이 테세우스와 이폴리타의 결혼에 더 잘 들어맞는 매치일 수도 있을까? 웨스턴 부부의 결혼은 테세우스와 이폴리타 커플처럼 처음부터 계속 안정된 상태였으니 말이다. 바로 여기에 문제가 있다. 오스틴은 이렇게 단순한 대응관계를 허용하지 않는다.

문제는 『한여름 밤의 꿈』에 등장하는 커플들과 연관 지을 수 있는 커플이 『엠마』에는 너무 많다는 것이다. 셰익스피어에는 불행한 운명을 맞는 피라무스와 씨스비 커플을 빼고 나면 모두 네 쌍의 결혼이 있는데, 『엠마』에는 총 다섯 쌍의 결혼이 있다. 오스틴은 『엠마』에서 『한여름 밤의 꿈』의 패턴을 차용해서는 그것들을 해체하고 뒤섞은 것 같다. 몇몇 캐릭터들은 『한여름 밤의 꿈』의 캐릭터에 매치되지만 어떤 캐릭터들은 전혀 매치되지 않는 식으로 말이다. 또한 엠마와 나이틀리, 그리고 웨스턴 부부가 테세우스와 이폴리타에 연결되는 것처럼, 『엠마』의 여러 요소가 『한여름 밤의 꿈』에 겹치게 연결되는 경우도 있다.

두 작품 모두 달빛 밝은 밤에 시작한다. 그리고 댄스가 '한여름'에 일어나는 몇몇 중요한 사건들의 서막이 된다. 예를 들어 "한여름의 밝은 한낮"에 이루어지는 돈웰 애비로의 소풍이라든가, 더 더운 날에 간 박스 힐로의 소풍 등이 그러하다. 또한 나이틀리는 '한여름 날'(Old Midsummer's Day, 7월 26일)*에 청혼했다. 무엇 때문에 진정한 사랑이 순탄히 이루어질 수 없는 것일까? 허미어는 "신분이 너무 높아서 사랑할 수 없다니"라고 말한다. 엠마가 해리엇을 자신의 짝으로 점찍고 있음을 안 엘튼의 반응과 일치하지 않는가? "스미스 양이라고요? 스미스 양에게 편지를 보내라고요?" 허미어는 또 다른 문제를 말한다. "나이가 너무 많아서 사랑할 수 없다니." 나이틀리와 엠마는 이 문제를 극복한 것이다!

결정적으로 엠마 자신은 이런저런 등장인물들의 특징이 혼란스럽게 뒤섞인 인물이다. 사랑받는 인물이자 사랑을 주는 인물, 그리고 두 남녀를 엮어 주려고 일을 꾸미는 인물. 자신이 중매에 재능이 있다고 생각하고 난 뒤의 엠마를 보면, 장난꾸러기 요정 퍽과 닮았다. 커플을 만들어 내려는 엠마의 시도는 퍽의 시도처럼 실패로 돌아간다. 허미어, 라이샌더, 헬레나, 디미트리우스, 이들이 얽히고설킨 사랑으로 인해 상처받은 마음을 풀어 주려는 오베론의 시도는 늘 이 장난꾸러기로 인해 수포로 돌아간다.

이 불화를 치료할 이는 결국 오베론이다. 엠마를 제어하고 마틴에게 다시 해리엇에게 청혼하도록 격려하는 이

* 우리나라로 치면 하지와 같은 개념으로, 낮이 제일 긴 때를 말한다. 영국에서는 이전에 7월 26일과 6월 24일을 한여름 날로 기념하고 그 전날 밤에 축제를 열었다. 요즘은 6월 24일만 한여름 날로 친다.

가 나이틀리이듯이.

『엠마』와『한여름 밤의 꿈』을 비교하는 작업은 두 작품 간에 딱 떨어지는 유사성을 찾는다는 의미만은 아니다. 바로『엠마』의 인간 관계가 다른 코미디 작품의 사랑 플롯과 조응할 수 있다는 점을 부각시킨다. 결국 이 모든 문제가 잘 풀릴 것이고 안정이 다시 찾아올 것이다. 그리고 두 명의 요정과 오스틴은 장난꾸러기 짓을 그만두고 마음을 고쳐먹을 것이다. 이제 우리는 안심할 일만 남았다.

소설에 등장하는 음식들

> "무도회는 이미 결정되었어. 니콜스가 화이트 수프를 충분히 준비하
> 는 대로 나는 초대장을 돌릴 생각이야."
>
> ―『오만과 편견』에서 찰스 빙리

아, 그렇다. 그 유명한 화이트 수프 이야기를 하지 않을 수 없다. 화
이트 수프는 송아지 고기와 아몬드, 크림으로 만든다. 여기에 쌀이나
빵 조각을 넣어서 진하게 만드는데, 때로는 파나 계란 노른자를 넣기
도 한다.

도대체 왜 무도회가 화이트 수프가 있느냐 없느냐에 따라 결정될
까? 글쎄, 아몬드, 크림, 계란 노른자처럼 비싼 화이트 수프의 재료가
네더필드에 없었을 수도 있다. 하지만 셰일라 케이 스미스Sheila Kaye-Smith
가 주장하는 것처럼, 빙리가 "니콜스가 화이트 수프를 준비하는 대
로" 무도회를 열겠다고 약속했을 때 그 말은 말 그대로를 의미하는

것은 아니었다. 이 말은 단지 무도회에 있어서 수프가 얼마나 중요한 지에 관한 언급이다. 케이 스미스에 의하면 오스틴은 "파티의 뒤풀이를 제외하고는" 절대 수프에 관해 이야기한 적이 없다. "사실 수프는 파티가 아주 흥겨움을 의미한다." 크라운에서 열린 파티에서 수프를 본 베이츠 양도 이와 같이 말했다.

일반적으로 오스틴은 음식을 통해 어떤 인물을 드러낸다. 화이트 수프의 경우에는 인물을 드러내기 위한 것은 아니었다. 하지만 앞서 말했듯이, 화이트 수프가 준비되고 나서야 초대장이 돌려졌다.

오스틴 소설을 통틀어서 우리는 아침식사에서 저녁식사, 그리고 다양한 종류의 모든 간식들을 엿볼 수 있다.

먹는 순서

조반Breakfast은 하루의 첫 번째 식사다. 고기와 달걀로 채워졌던 이전 시대의 아침식사나, 혹은 빵과 맥주, 치즈를 먹는 하층 계급의 아침식사에 비해 섭정기 신사 계층의 아침식사는 훨씬 가벼웠다. 토스트나 케이크 등 다양한 종류의 빵과 차, 커피, 혹은 코코아 같은 음료가 고정 메뉴였다. 좀 더 든든하게 아침식사를 하고 싶으면 생선이나 스테이크가 나왔다.

오스틴의 어머니가 1806년 스톤리 사원을 방문했을 때, 그녀는 그곳의 아침식사가 "초콜릿, 커피, 차, 자두 케이크, 파운드 케이크, 핫 롤, 콜드 롤, 빵, 버터"였다고 전한다. 『맨스필드 파크』에서 파티 다음 날 사람들이 아침식사를 먹고 남은 음식들은 "차가운 돼지고기

제인 오스틴의 외가 쪽이 대대로 살았던 스토니 애비.
제인은 어머니를 따라 1806년에 단 한 번 방문했던 것으로 알려져 있다.
© 엘라인 메일렌

뼈와 머스터드소스" 그리고 "부서진 계란 껍데기"였다.

아침식사는 보통 9시에서 10시 사이에 시작한다. 그 이전에는 대개 아침 산책이나 그날의 이런저런 준비를 하기 때문이다. 만약 여행을 한다면 좀 더 잘 차려진 음식이 좀 더 이른 시간에 제공된다. 『노생거 사원』의 캐서린 모어랜드는 여행을 떠나는 날 경악스럽게도 아침 7시에 밥을 먹어야 했다. 메리 머스그로브와 앤 엘리엇은 "아침시간이 늘 다른 집보다 늦었기 때문에" 웬트워스 대령이 사냥을 떠난 뒤에야 아침식사를 시작한다.

런천Luncheon은 오스틴이 죽은 뒤 대략 1830년대에야 비로소 상류계급에 의해 일정한 시간의 식사를 지칭하는 용어로 쓰이기 시작했

다. 제인 오스틴의 시대만 해도 만찬을 한낮에 먹다가 점차 늦은 시
간으로 밀려나면서 조반과 만찬 사이에 배고픔을 달래기 위한 간단
한 요깃거리를 먹었다. 나이틀리 씨는 자신의 영지에서 열린 딸기 따
기 소풍에 참석한 손님들에게 전형적인 '런천'을 제공한다. 즉, 식은
고기, 과일, 그리고 음료수를 말이다. 물론 유행에 뒤떨어지지 않는
손님은 이 식사를 '런치'라고 말할 것이다.

런천은 정식 식사가 아니기 때문에 특정한 시간이 정해져 있지는
않았다. 그냥 낮 시간 동안에 가족이나 손님이 먹을 음식들이 준비되
어 있는 정도였다. 이렇게 런천을 가벼운 먹을거리로 때움으로써 하
인들은 좀 더 중요한 일, 즉 만찬 준비에 집중할 수 있었다.

만찬dinner이 시작됨으로써 공식적으로 '아침' 시간이 끝난다. 따라
서 '아침'이란 만찬이 시작되기 이전의 시간을 의미했다. 여성들은
보통 만찬을 위해 "30분" 동안 멋진 옷으로 갈아입었다. 물론 빙리
자매는 치장을 위해 1시간 30분이라는 시간이 필요했지만 말이다.
"5시에 두 여성은 옷을 갈아입으러 들어갔다. 6시 30분이 되어서야
엘리자베스는 만찬에 참석하라는 전갈을 받았다."

상류층 가정에서는 대략 오후 5시나 6시에 만찬을 시작한다. 아
이들에게는 보통 오후 2시나 3시에 간식을 준다. 하지만 상류층 중
에서도 손꼽히는 가정에서는 만찬을 더 늦게 시작한다. 오스틴은 스
티븐튼에서의 저녁식사 시간과 상류층인 고머셤의 저녁식사 시간이
다르다는 걸 지적한 바 있다. 오스틴의 미완성작 『왓슨 가족』에서 오

147

스본 경과 톰 머스그로브가 평범한 가정인 왓슨 씨 댁에 오후 3시경 갑작스레 찾아와 엠마 왓슨을 당황하게 만들었다. 그 시간은 왓슨 가족의 만찬 시간이었기 때문이다. 엘리자베스 왓슨은 그들에게 설명한다. "아시다시피 저희는 이 시간에 저녁을 먹지요."

만찬 주최자가 가장 신분이 높은 여성을 식당으로 안내하면 그 뒤를 나머지 여성들이 따른다. 그리고 그 뒤에 남성들이 입장한다. 대개 테이블의 상석과 그 맞은편에 만찬 주최자와 귀빈이 앉는 것을 제외하고는 좌석이 미리 정해져 있지는 않다.

일반 가정에서의 만찬은 보통 한 가지 코스로 구성되어 있지만 손님을 초대했을 경우는 두 가지 코스 요리를 준비한다. 따라서 베넷 부인은 빙리를 만찬에 초대하고는 코스 요리를 두 가지로 준비하려고 한 것이다. 첫 번째 코스는 고기와 가금류, 테이블의 양쪽 끝에 각기 수프와 생선, 야채와 맛있는 젤리가 나온다. 모든 음식은 한꺼번에 테이블에 놓이는데, 식사 중간에 자꾸 접시를 보내달라고 요구하는 것은 상당히 예의 없는 짓이므로 좋아하는 음식을 편안히 먹으려면 빨리 판단해서 자리를 잡든가, 아니면 운에 맡기는 수밖에 없다.

이 코스의 식사가 끝나면 하인들이 테이블을 치운다. 이 시간 동안에는 비밀로 해야 할 이야기는 하지 않는 것이 현명하다. 신경 쓸 음식이 없기 때문에 우연히 다른 사람이 의도치 않게 엿들을 수도 있기 때문이다.

바로 이 때문에 『엠마』에서 엠마와 프랭크 처칠의 "대화가 여기에서 멈추었다"는 장면이 등장한다. "그들은 코스 요리 사이의 시간 동안 다른 사람들처럼 점잖을 떨고 앉아 있어야 했다. 하지만 테이블 위에 식탁보가 다시 덮이고 모든 음식이 각기 제자리에 놓여 사람들이 다시 편안한 자세로 돌아가 음식과 이야기에 몰두"할 때, 프랭크 처칠과 엠마는 아주 비밀스런 대화를 재개했다.

두 번째 코스는 대개 타르트, 고기, 패스트리, 파이와 젤리와 같은 가벼운 음식들이 나온다.

이 코스가 끝나고 나서 테이블이 완전히 정리되면 디저트가 나온다(불어로 디저트dessevir는 '테이블을 치우다'를 의미한다). 하인들이 이미 설거지를 하거나 테이블에 남은 음식으로 식사를 하고 있기 때문에 디저트는 보통 개인 접시 없이 손으로 먹는 간단한 음식이 나온다. 건과류, 밀린 과일, 속을 채운 올리브 등이 디저트 메뉴로 등장한다. 일반적으로 디저트를 먹는 시간은 만찬 시간과 분리되지 않고 그 연장이었다.

만찬을 먹으러 들어올 때 별다른 순서가 없었던 것에 비해서, 여성들은 나갈 때에는 정확히 사회적 지위에 따라 만찬장을 빠져 나가야 했다. 바로 이것이 리디아가 결혼하고 나서 제인의 자리를 차지하는 기쁨을 누릴 수 있었던 것과 엘리자베스 엘리엇이 "그 모든 응접실과 만찬장에서" 레이디 러셀의 뒤를 따르게 된 이유다.

여성들이 응접실로 가서 즐겁게 담소를 나누는 동안(종종 이 시간은 아주 지루한 시간이 되기도 한다) 남성들은 테이블에 남아서 술과 담배, 대화를 즐긴다. 이전에는 남성들이 모인 테이블에서 다른 사람보다 일찍 떠나는 것이 무례하게 여겨졌으나 오스틴 시대에 이 관습은 이미 사라지고 없었다.

차Tea는 남성들이 응접실에 있는 여성들에게 올 때 제공된다. 만찬이 끝났음을 알리는 공식적인 신호다. 차, 커피와 함께 케이크, 토스트, 롤, 그리고 여러 빵 종류가 나온다. 다아시와 빙리가 집에 초대되었을 때 엘리자베스는 이 모든 것을 다 대접해야만 했다. 이후 책을 소리 내 읽거나 카드 게임을 하거나 악기를 연주하는 등 놀이와 대화가 이어진다.

서퍼^{Supper}란 하루의 마지막 끼니를 지칭하는 말로서, 주로 하층계급 사람들의 식사 행태였다. 이들은 만찬을 거의 오후에 먹기 때문에 저녁에 허기를 때울 또 한 번의 간단한 식사가 필요했다. 서퍼는 사실 식사라기보다는 간식이라 할 수 있다. 우드하우스 씨가 잠자리에 들기 전에 먹는 죽은 서퍼와는 다르다. 상류층이 점점 더 늦은 디너를 먹으면서 서퍼는 이제 한물 간 것이 되었다. 하지만 예외적으로 서퍼가 필요한 경우가 있었으니 바로 댄스파티에서다. 저녁 늦게까지 춤추고 놀다 보면 당연히 먹을 것이 필요해지기 때문이다. 화이트 수프가 바로 이런 때 필요한 것이다.

오스틴 소설에서 음식이 거론되는 경우

매기 블랙^{Maggie Black}과 르 페이^{Deidre Le Faye}가 『제인 오스틴 요리책^{Jane Austen} ^{Cookbook}』에서 지적하듯이 "오직 바보 같고 매력 없는 인물만이 음식에 관해 이야기한다"는 점은 매우 중요하다. 음식은 주브닐리아에서 더 많이 언급되었다. 예컨대 「레슬리 캐슬」에서 음식은 "중심적 농담거리"다. 하지만 "제인이 『이성과 감성』을 집필하던 1797년 무렵에 음식은 단지 인물을 묘사하거나 플롯을 진전시키기 위해 필요할 경우에만 언급된다."

예를 들어 엠마의 경우를 살펴보자. 엠마는 엘튼 목사와 해리엇을 짝지어 주려고 이리저리 머리를 굴리면서 자신이 한 쌍의 커플을 만들어낼 것이라는 원대한 희망에 부풀어 있었다. 하지만 실망스럽게도 "엘튼 씨는 뭔가에 대해 구구절절 이야기하고 있었지만 그가 하는 이야기란 어제 코울 씨 집에서 벌어진 파티 이야기뿐이었다. 엠마가 직접 가지고 간 스틸톤 치즈머 윌트셔 종 양고기며 버터, 샐러리, 사탕무며 디저트 이야기만 늘어놓고 있었다."

『엠마』에는 다른 다섯 소설에 비해 특정한 음식에 관한 이야기가 자주 등장한다. 음식은 우드하우스 씨와 베이츠 양에 관해 많은 것을 말해 주기 때문이다. 음식을 통해 독자는 베이츠 양과 그녀의 어머니가 얼마나 궁핍한 생활을 하고 있는지를 알게 된다. 또한 음식을 대하는 우드하우스 씨의 태도는 그가 어떤 사람인지를 말해 준다(그는 사과를 세 번 구워서 먹는다. 그 반면에 베이츠 양에게는 두 번이면 충분하다).

『엠마』는 이웃들과 음식을 나누어 먹는 너그러움에 관해서도 말한다. 당시에 고기나 채소를 많이 경작했을 경우, 이웃과 나누어 먹는 것이 이상한 일은 아니었다. 엠마는 베이츠 모녀에게 음식을 보낸다. 나이틀리 씨가 그들 모녀에게 사과를 보낸 것 또한 당시에는 전혀 이상한 일이 아니었다. 물론 이 행위가 그의 관대한 성격을 보여주기는 하지만 말이다. 베이츠 양은 말한다.

"어머나, 나이틀리 씨, 잠시만 기다려 주세요. 이렇게나 귀한 걸 주시다니! 제인도 저도 사과를 보고 무척이나 놀랐답니다!

"무슨 문제가 있나요?"

"나이틀리 씨께서는 저장해 둔 사과들을 몽땅 우리에게 보내셨잖아
요. 물론 많이 있다고 말씀은 하셨지만 우리에게 다 주셔서 이제 남은
사과가 없으신 거잖아요? 정말 충격을 받았어요. 호지스 부인이 화를
낸 것도 당연해요. 윌리엄 라킨스가 와서 말했다고요. 나이틀리 씨, 그
렇게 하지 마셨어야 해요. 아, 어쩌나, 그가 가버렸네. 쑥스러움을 타
셔서 고맙다는 말을 잘 듣지 못하시지. 하지만 어떻게 고맙다는 말씀
을 안 드릴 수가 있겠어."

『맨스필드 파크』에서도 몇몇 인물들의 식습관과 그들이 좋아하는
음식에 관해 말한다. 맨스필드라는 새로운 환경에 놓인 어린 패니는
구즈베리 타르트를 두 입도 먹지 못하고 "눈물을 뚝뚝 흘렸다." 이렇
게 잘 먹지 않는 패니와 대조되는 식탐가 그랜트 박사가 있다.
　살구에 관한 그랜트 박사와 노리스 부인의 토론을 한번 보자.

"우리가 마구간 근처에 살구나무를 심은 것은 작년 이 무렵 봄에 리
스 목사께서 돌아가시기 전이었지요. 그 나무가 이젠 이렇게 잘 컸네
요." 노리스 부인은 그랜트 박사에게 말했다.

"나무가 아주 잘 자랐지요, 부인." 그랜트 박사가 대답했다. "흙이 좋지
요. 그 나무를 지나갈 때마다 딸 게 별로 없는 것이 좀 흠이긴 하지요."

"목사님, 그 나무는 무어파크 종이랍니다. 토마스 경께서 선물해 주신 거지요. 제가 지불 청구서도 봤다니까요. 가격이 7실링이었고요, 무어파크라고 써 있었어요."

"속으셨네요, 부인." 그랜트 박사가 말했다. "여기 이 감자가 저 무어파크 종 살구보다 훨씬 맛있답니다. 저 살구는 기껏해야 '그저 먹을 만'한 정도죠. 하지만 좋은 살구는 정말 맛이 좋아요. 물론 지금 내 정원에서 그렇게 맛이 좋은 살구는 나지 않지만 말이지요."

"사실은 말이죠." 그랜트 여사는 테이블 건너편에서 노리스 여사에게 속삭이듯이 말했다. "이이는 우리 살구 맛이 원래 어떤지 모른답니다. 사실은 한 번도 제대로 먹어본 적이 없어요. 너무 아까워서 말이죠. 우리 살구는 아주 크고 좋은 종이라서 우리 요리사가 타르트도 만들고 또 저장도 한답니다."

우리는 노리스 여사를 좋아하지 않을 이유가 충분하다. 자신이 지불할 것도 아니면서 가격에 대해 왈가왈부하는 건 그녀의 전형적인 행동이다. 하지만 그랜트 박사는 감자와 살구를 구별할 수 없을지언정 새끼 거위의 맛이 어떨 때 실망스러운지에 대한 식견은 갖고 있었다.

베이츠 양과 우드하우스 씨의 차이, 패니 프라이스와 그랜드 박사의 차이 외에도, 우리는 허스트 씨와 엘리자베스 베넷의 차이에 대해서도 알 수 있다. 그들이 어떤 음식을 좋아하는지에 대한 간단한 언급을 통해서 말이다. 허스트 씨는 "오로지 먹고 마시고 카드놀이를 하기 위해 사는 게으른 인간이었다. 그는 엘리자베스가 라구(고기와 야채를 재료로 한 프랑스 스튜=편집자)보다도 그냥 평범한 요리를 더 좋아한다는 사실을 알게 되자 더 이상 그녀에게 말을 걸지 않았다."

셰일라 케이 스미스와 G. B. 스턴^{G. B. Stern}은 오스틴이 등장인물들이 먹는 음식의 구체적인 메뉴를 그다지 주목해서 언급하지는 않았다고 말하면서, 오스틴 소설에 어떤 메뉴들이 등장했을지 추측해 보았다. 다음이 등장인물들이 먹었을 법한 메뉴이다.

화이트 수프

삶은 연어

닭고기와 아스파라거스로 만든 프리카세

양고기 등심 구이

구스베리 타르트

그들은 돼지고기보다는 양고기를 선택했다. 우드하우스 씨가 주장한 대로, 삶아 먹기에는 돼지고기보다는 양고기가 낫기 때문이다.

이와 달리, 주브닐리아에서는 인물들의 식욕이 여과 없이 드러난다. 「프레데릭과 엘퍼다」에서는 "두 여성이 서퍼로 어린 토끼고기, 메추라기 한 쌍, 꿩고기 세 마리, 비둘기 열두 마리를 먹었다." 오스틴 소설에서 드물게 죽는 인물인 그랜트 박사에게는 진수성찬이 차려진다. 그는 무엇 때문에 죽었을까? 살구나 새끼 거위 때문에 죽은 것이 아니라 "1주일에 세 차례에 걸친 거대한 디너" 때문에 죽었다.

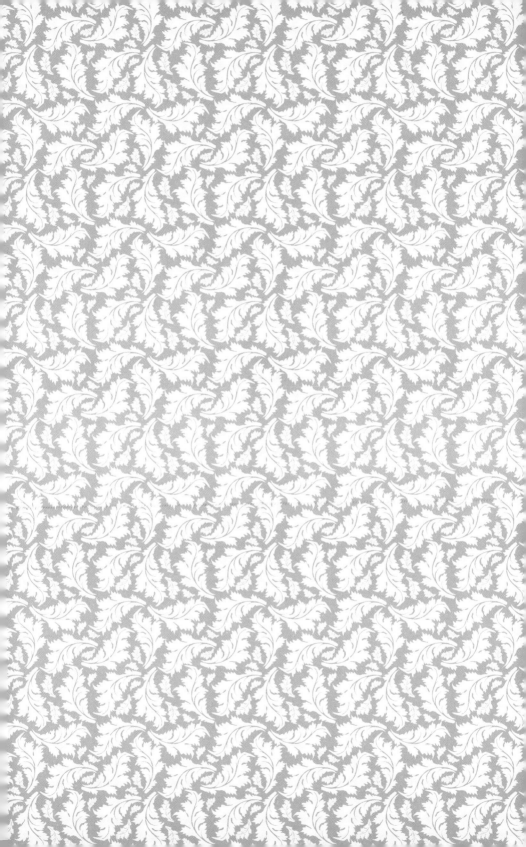

노생거 사원
NORTHANGER ABBEY

『노생거 사원』의 여주인공 캐서린 모어랜드가 오랫동안 잊고 있던 원고를 찾아 어둡고 낡은 벽장 안을 이리저리 뒤지고 다니는 모습은 바로 이 소설의 운명과 같다. 원래 「수잔」이라는 제목이 붙었던 이 소설은 1798년에 집필을 시작해 1803년 봄에 한 출판업자에게 팔렸다. 런던의 리처드 크로스비는 이 소설의 출간 예정 광고를 내기까지 했다. 그러나 어떤 이유에서인지 원고는 출간되지 않고 크로스비의 책장에 먼지가 쌓인 채 놓여 있게 된다. 제인 오스틴은 출판이 6년이나 미루어진 뒤에 다소 화가 난 어조로 편지를 썼고, 원한다면 원고를 되사가라는 답장을 받는다. 원조 고딕 소설의 유행을 따랐던 그 불쌍한 원고는 결국 그야말로 "납치된" 상태로 있게 되었다. 1816년 오스틴은 마침내 10파운드를 주고 원고를 되돌려 받았지만 결국 그 소설은 오스틴이 죽고 난 뒤에야 출간된다. 1817년, 오스틴의 오빠 헨리는 『설득』과 『노생거 사원』을 함께 묶어 출간을 의뢰했다. 『노생거 사원』을 처음 쓴 지 거의 20년이 지난 뒤였다.

『노생거 사원』에는 출판업자의 신경을 거슬리게 하는 무언가가 있다. 여러 가지 면에서 이 소설은 오스틴의 다른 소설들과 다르다.

본질적으로 이 소설은 '소설 읽기'
에 대한 소설이다. 책읽기에 아주
열심인 인물을 주인공으로 설정하
면서 오스틴은 소설을 캔버스 삼아
자신의 예술관을 그리고 있다. 오
스틴은 소설을 단지 할 일 없는 여
성들의 한심한 취미로 비하하는 잘
난 척하는 사람들을 강력하고도 권
위 있는 목소리로 꾸짖는다. 이 소

설에서 오스틴은 소설을 "천재성, 위트, 그리고 취향이 있어야만 즐
길 수 있는" 표현의 중요한 한 형식이라고 주장한다. 소설이란 "정신
의 가장 강력한 힘이 전시되고, 인간 본성에 대한 가장 세밀한 지식
과 다양함, 발랄한 위트와 유머가 가장 엄선된 언어로 세상에 전달되
는 방식"이다.

용감하지만 결코 이상적인 여주인공이라고는 할 수 없는 캐서린
모어랜드의 행동을 통해 이런 메시지가 전달된다. 캐서린은 다소 평
범하게 생겼고, 언덕 구르기라든가 야구 같은 남자아이들의 놀이를
즐긴다. 리차드 젠킨스는 말한다. "만약 이 소설이 오스틴의 유일한
작품이었다면 캐서린은 아마도 영국 소설에서 가장 매력적인 여주
인공의 한 명으로 찬양받았을 것이다." 그렇다. 캐서린은 아주 매력
적인 여주인공이다! 사실 에밀리 아우어바흐가 조사한 바, "오스틴
은 『노생거 사원』에서 '여주인공', '남주인공', '영웅심', '영웅적인'과

같은 단어들을 나머지 다섯 소설을 다 합친 것의 두 배 정도로 사용하고 있다."

　캐서린과 그녀의 부모, 그리고 아홉 명의 형제자매들이 풀러튼에 살고 있다. 그리고 우리의 여주인공 캐서린에게 행운의 기회를 부여할, 대저택을 가진 부유한 알렌 노부부도 그곳에 살고 있다. 한 작가는 알렌 부인을 "부정적인 인물의 전형"이라고 평했다. 스턴은 그 인물에게서 "불쾌한 천재, 즉 작품이 아닌 실제 현실에서 그녀를 본다면 아마 5분도 견디지 못하겠지만 제인 오스틴에 의해 창조됨으로써

온천장 사교실. 캐서린 모어랜드가 간파한 대로, 이곳은 바스에서 사람들을 만나는 본거지다.
"매일 아침마다 우리는 의례적으로 할 일이 있어. 상점에 들러야 하고, 바스에서
아직 보지 못한 부분들을 찾아가야 하며, 온천장 사교실에 들러서 한 시간 동안 방안을
빙빙 도는 사람들을 쳐다봐야만 해. 아무 말도 하지 않고 말이야."

그녀의 한 마디 한 마디는 찬란히 빛을 발하고 독자는 그녀의 말을 더 갈구하게 되는" 기이한 현상을 본다.

건강 문제로 온천 휴양 도시인 바스로 가게 된 알렌 씨는 캐서린에게 함께 갈 것을 제안한다. 캐서린은 바스에 가서 새로운 세상을 경험하고 거기서 새로운 것들을 배우게 될 것이다. 『노생거 사원』의 케임브리지 판 서문에는 다음과 같이 쓰여 있다. "캐서린이 무언가를 더 배우게 된다는 점에 관해서는 거의 모든 비평가들이 동의하지만 '무엇을' '어떻게' 배울 것인가에는 다양한 의견이 있다." 그 반면에 '어디서' 배울 것인가에 관해서는 이견이 적다. 열여덟 개의 장에 그려진 바스에서의 생활을 통해 캐서린은 많은 것을 배울 것이다.

시골에서 올라온 캐서린 일행은 바스에 아는 사람이 많지 않았다. 그래서 그들이 무도회장이나 온천장 사교실에 나타난 처음 몇 번은 별다른 사건 없이 지나간다. 하지만 곧 캐서린은 로어 어셈블리 룸에서 헨리 틸니라는 목사를 소개받는다. 아주 상냥하고 매력적으로 보이는 이 남자는 마치 은혜라도 베푸는 듯한 태도로 캐서린에게 글쓰기며 모슬린 옷이며, 여성이라면 당연히 쓰게 마련인 일기 등에 관해 말한다.

캐서린은 또한 알렌 부인의 옛날 동창생인 소르프 부인의 딸들도 소개받는다. 캐서린은 자신보다 네 살 많은 소르프 부인의 맏딸 이사벨라와 즉시 절친한 친구가 된다. 이사벨라의 남동생 존은 캐서린의 오빠인 제임스의 친구다. 두 여성은 소설 읽기를 좋아한다는 공통점 때문에 더욱 친한 사이가 되었다. 비가 자주 오는 바스의 날씨 덕분에 둘은 마리아 에지워스나 패니 버니, 혹은 앤 래드클리프의 소설을 읽으며 즐거운 시간을 보낸다. 그들이 가장 좋아하는 소설은 음모와 위험으로 가득 찬 이국적인 성을 무대로 하는 래드클리프의 고딕 소설『우돌포의 미스터리Mysteries of Udolpho』다.

이사벨라와 캐서린이 이 작품에 관해 이야기를 나누고 있는 어느 아침에, 그들은 우연히 존 소르프와 제임스 모어랜드를 만난다. 이 만남에서 두 가지가 명백해진다. 첫 번째는 존 소르프의 부인할 수 없는 어리석음과 하찮음이다. 단지 마차나 말에만 관심이 있는 그는 소설을 무시하는 말을 함으로써 더욱 불쾌감을 준다. 그는 교양이 없고 천박한 사람으로 판명된다. 두 번째로 명백해진 사실은 이사벨라와 제임스가 서로에게 어떤 애정, 혹은 수줍음 같은 것을 느낀다는 것이다.

때로 캐서린이 처한 위험은 그리 대단해 보이지 않는다. 고작해야 존이 그녀와 춤을 추겠다고 한 약속을 잊어버렸기 때문에 그녀가 파트너 없이 혼자 남겨지는 것 정도다. 존만큼 천박하고 이기적인 이사벨라가 문제인데, 캐서린은 이런 말을 하기도 했다. "나는 그렇게 알아들을 수 없는 말을 해댈 정도로 말을 잘하지는 못해." 캐서린은 다소 둔하고 그래서 정직하다. 소르프 남매로 인해 그녀는 거짓과 인위에 둘러싸여 있다.

소르프 남매는 캐서린 주변에 허구의 세계를 지어 놓는다. 그들은 캐서린에게 거짓말을 하고, 캐서린에 대해서 거짓말을 한다. 캐서린은 그들이 만들어 놓은 허구를 무너뜨려야 한다. 틸니가※ 사람들이 무슨 일을 하는지, 캐서린이 누구와 함께 있어야 하는지, 그들이 틸니가 사람들에게 한 거짓말이며, 캐서린이 상속녀인지 아닌지, 이사벨라가 누구를 믿고 누구를 사랑하는지. 소르프 남매는 자신들의 거짓말이 계속 드러나고 있는데도 상황을 파악하지 못한다. 그들이 했던 말과 자기 눈에 보이는 것을 비교하면서 캐서린은 많은 것을 배운다. 과거의 거짓을 읽고 표면 뒤에 숨은 진실을 보는 방법을 깨닫게 된 것이다.

마침내 캐서린은 소르프 남매가 쳐놓은 빗장에서 해방되어 헨리와 엘리노어 남매와 함께 행복하게 시골 길을 걷게 된다. 그들은 이리저리 걸으며 소설이며 그림에 관해서 토론을 하지만, 이제 캐서린은 이전처럼 말을 많이 하기보다는 많이 듣기로 한다. 이를 통해 캐서린은 헨리로부터 많은 것을 배울 수 있게 된다. 헨리 틸니가 캐서린을 놀리듯 가르치는 장면을 보다 보면 한 가지 의문이 생긴다. 과연 헨리 틸니가 캐서린을 가르칠 만큼 믿음직한 사람인가? 분명한 것은, 아름다운 풍경에 관한 그의 강연을 듣고서 캐서린은 풍경의 아름다움을 느낄 자신감을 더욱 잃었다는 것이다. 자신이 아름다운 풍경을 보고도 알아차리지 못할까 봐 말이다.

틸니 집안 남자들이 천박하지 않다는 것은 그들이 믿을 만한 사람들이라는 의미는 아니다. 그들은 매너가 좋은 사람들이지만 때로는 몰염치하고, 나중에는 이런저런 식으로 남을 괴롭히기도 한다. 헨리는 여성을 멸시하고, 캐서린에게 본능을 믿지 말라고 충고한다. 그의 형과 아버지로 말하면 양심과는 거리가 먼 사람들이다.

소르프가 사람들과 엘렌 부부는 매주 일요일 예배가 끝나자마자 모였다.
그러고는 온천장 사교실로 가서 사람들을 찬찬히 살피면서, 이곳에는 마음에 드는 사람이 없다는 둥,
호감 가게 생긴 사람이 없다는 둥의 이야기를 늘어놓았다. 그 다음 그들은 서둘러 크레센트로 가서
좀 더 상위 계층 사람들이 있는 곳에서 신선한 공기를 들이마셨다.
이곳에서 캐서린과 이사벨라는 다정하게 팔짱을 끼고 하고 싶은 이야기를
마음껏 나누며 즐거운 우정의 시간을 가졌다.

이사벨라와 약혼한 제임스는 아버지의 허락을 받기 위해 집으로
말을 달려간다. 다음 날 이 약혼에 반대하지 않는다는 모어랜드 씨의
편지가 도착한다. 유산 상속이며 기타 정리해야 할 돈 문제가 남아
있지만 이사벨라는 결혼 허락에 매우 기뻐한다. 하지만 캐서린은 이
사벨라가 무도회에서 헨리의 형인 프레데릭 틸니 대위를 소개받고
는 처음에는 관심 없는 척하다가 결국 그의 손에 이끌려 춤추는 것
을 보게 된다.

이사벨라는 제임스와 결혼하려면 2, 3년을 기다려야 한다는 사실
을 알게 된다. 결혼으로 사치스런 생활을 누리려던 이사벨라가 이 사

실을 어떻게 받아들일까?

캐서린은 틸니의 저택인 노생거 사원에 같이 가자는 제안을 받는다. 하지만 캐서린과 제임스는 이사벨라를 대하는 프레데릭 틸니 대위의 태도에 기분이 상한다. 헨리는 캐서린에게 틸니 대위가 이사벨라의 약혼 사실을 알고 있으며, 잘못하고 있는 것은 프레데릭이 아니라 이사벨라라고 말한다. 하지만 이들의 시시덕거림은 별 일 아닐 거라고 안심시킨다. 캐서린은 노생거 사원으로 떠나기 전 많은 사랑을 담아 이사벨라에게 작별을 고한다.

이 소설에서 바스를 배경으로 한 장들은 당대 널리 읽히던 규범 소설처럼 쓰였다. 규범 소설이란 돈 많은 아가씨와의 결혼으로 한 몫 잡아보려는 남자들이나 사기꾼들을 물리치고 마침내 좋은 남성을 만나 결혼에 골인하는 여성을 여주인공으로 삼는 소설이다. 하지만 캐서린이 바스를 떠나 헨리 틸니와 함께 노생거 사원으로 향하면서 소설은 좀 더 고딕 소설 같은 특성을 드러낸다. 헨리는 노생거 사원으로 향하면서 그곳이 "소설에서나 나올 법한 집"이니 "갑자기 벽걸이 장식이 툭하고 떨어져도 마음을 굳게 먹고 놀라지 말라"고 경고해서 캐서린의 공상에 불을 붙인다. 헨리는 비밀 통로니 핏자국이니, 혹은 숨겨진 문서 따위를 들먹이며 공포 이야기를 지어내고, 캐서린은 자기도 모르게 그 이야기에 이끌려 자신이 정말 그곳에 숨겨진 진실을 파헤칠 수 있을까 생각한다.

이렇게 한껏 공포스런 분위기에 취해 있었기 때문에, 마침내 노생거 사원에 도착했을 때 캐서린의 실망은 클 수밖에 없었다. 괴기스런 방해물도, 눈을 뜨지 못하게 하는 폭풍우도 없었다. 저택은 근사했지만, 맙소사! "가구들은 온통 다 현대식의 말끔한 것들이었다." 창문들은 비록 고딕 모양이었지만 모두 다 크고 깨끗하고 아주 밝아서 그 어느 곳에도 어둡고 축축한 구석을 남겨두지 않았다. 이 공간에 캐서린을 밀어 넣음으로써 오스틴은 일반적인 고딕 소설과는 다른 무언가를 시도하려 한다는 것을 우리는 알 수 있다. 고딕을 패러디할 뿐 아니라 고딕적인 요소를 변형시키고 합치고 뒤집어서 독자에게 일상적 삶 안에 놓여 있는 일상적인—그리고 합법적인—공포를 보여 주는 것이다.

고딕의 상투적인 요소들	『노생거 사원』에서 재구성된 고딕 전통
미스터리한 가계혈통	캐서린의 아버지는 누구인가?
시골로 은거함	캐서린의 아버지가 풀러튼으로 이사함
돈을 쫓는 사기꾼	소설에는 몇 명의 사기꾼이 있을까?
허물어져 가는 성	신식으로 개조된 노생거 사원
폭군의 존재	틸니 장군
버림받은 여주인공	캐서린
납치	소르프가 저항하는 캐서린을 마차에 태움
끔찍한 비밀을 담은 상자	세탁물 목록
미스터리한 실종	틸니 장군의 부재에 안심함
성에 감금됨	노생거 사원에서 쫓겨남
천사처럼 아름다운 여주인공	평범하게 생긴 캐서린

아주 깜깜하고 비바람이 몰아치는 밤에, 캐서린은 굳게 잠긴 일본
식 서랍장을 뒤진다. 그녀는 아침이 되어 자신이 서랍장 안에서 발견
한 종이가 빨래 목록이었다는 것을 알게 된다. 캐서린은 틸니 장군
이 아내를 죽였든가, 아니면 어느 곳에 가두어 놓았을 거라고 확신한
다. 그녀는 이 추측이 사실인지 아닌지 확인하고 싶어 한다. 이 과정
에서 우리의 여주인공은 몇 번의 위험한 순간을 겪고, 매순간 다행히
구조된다. 긴장, 실망, 고조된 감정이 뒤따른다. 캐서린이 단지 어리
석어서 틸니 집안에 관해 고딕적인 공포를 느낀 것일까, 아니면 실제
로 틸니 집안에 공포를 불러일으킬 요소가 있어서 그녀가 민감하게
반응한 것일까? 예를 들어 자식들을 억압하는 폭군 아버지의 존재
같은 요소 말이다. 틸니 장군은 왜 캐서린에게 그렇게 관심을 가졌던
것일까? 캐서린은 제임스로부터 이사벨라가 파혼했다는 말을 듣게
되고, 이사벨라는 곧 틸니 대위의 소식을 묻는 편지를 보내온다. 틸
니 대위가 이사벨라를 버린 것이 분명하다.

플롯은 이리 저리 꼬이고 캐서린의 예측과 기대는 번번이 빗나간
다. 이런 꼬임과 빗나감은 이 소설에서 언급되는 『우돌포의 미스터
리』나 다른 고딕 소설들과의 비교 속에서 더욱 두드러진다. 오스틴
은 확신 있는 손길로 우리를 캐서린의 작은―물론 그녀는 크다고 느
끼겠지만―실망과 도전으로 이끈다. 그 길을 따라가다 보면 우리는
캐서린이 사랑한 고딕 소설의 공포를 떠올리게 된다. 그러고 나서 실
제로 진짜 공포스러운 일이 발생한다.

어느 작가가 말하길, 소설가의 일이란 한 소녀를 나무에 올려놓고

돌을 던져서 그 소녀를 떨어뜨리는 것이다. 말괄량이였던 캐서린 모어랜드야말로 어린 시절 나무에 올라갔을 법한 여주인공이다. 어쩌면 1987년 BBC 드라마 『노생거 사원』에서처럼 나무에 올라가 책을 읽고 있었을지도 모른다. 하지만 그녀는 나무에서 내려와 바스라는 세상에 내던져진다. 그리고 그녀에게 돌이 날아오기 시작한다. 소르프 남매가 그녀를 속이고 '보호자'의 손에서 탈취해 폭군적인 틸니 장군이 있는 노생거 사원의 세계로 내던진다. 그러는 동안에 제인 오

리처드 벤틀리가 출간한 1833년 판 『노생거 사원』의 본문 삽화

스틴은 자신이야말로 캐서린을 나무 위에 올려놓고 돌을 던진 장본인이라는 점을 독자에게 일깨운다.

틸니 장군은 왜 캐서린에게 그렇게 예민하게 반응한 것일까? 그는 영국에서 어떤 사실을 알아낸 것일까? 어떤 유명한 마차 사건이 그를 악명 높게 만들었을까? 캐서린은 틸니 장군이 아내를 죽였을 거라고 의심한다. 캐서린의 상상은 틀렸다. 하지만 틀렸다고 해도 완전히 틀린 것일까? 오스틴은 가부장적 억압이 단지 살인과 같은 직접적 폭력보다 더 교묘한 방식으로 작동한다는 점을 말하려는 건 아닐까? 틸니 장군의 자식들이 그를 두려워하고 그 앞에서 침묵을 지키는 것은 분명 그가 폭군적 존재라는 것을 말하고 있다. 그의 행동거지가 독자로 하여금 그를 고딕 악당이라고 믿도록 만들 때, 우리는 캐서린 편에 서서 "틸니 장군이 아내를 죽이거나 가두었다고 의심한다는 것이 결코 그의 인격을 모독하거나 그의 잔인성을 과장하는 것은 아니"라는 결론을 내릴 것이다.

헨리 틸니는 빈정대며 여성 비하 발언을 해대는 인물이다. 제인 오스틴은 왜 이런 인물을 만들었을까? 헨리는 옥스퍼드에서 교육받은 인물이지만 오스틴은 그 역시 문제가 있는 인물임을 보여 준다. 그의 시니컬한 말들을 듣고 있자면 독자들은, 비록 그가 지적인 인물이라 할지라도 어떤 편견 혹은 심리적 문제를 지니고 있을 거라고 추측하게 된다. 오스틴의 여섯 소설의 여주인공들 중에서 캐서린은 그리 완벽하지 않은 남자랑 결혼하기로 결심한 첫 번째 여주인공이다(물론 그녀가 마지막은 아니다).

오스틴이 『노생거 사원』을 쓸 무렵, 프랑스 혁명으로 인해 고딕 소설에 변화가 생겼다. 독자들은 더 이상 감금이니 성이니 악당이니 하는 낡은 장치들에 열광하지 않았다. 고딕 소설의 어린 여주인공들도 변화를 피해 갈 수 없었다. 오스틴의 주요 소설들 중에서 『노생거 사원』은 가부장적 억압에 비평을 가하는 가장 정치적인 소설로 여겨진다. 오스틴은 캐서린을 통해서 남성 중심의 역사를 불평하고(캐서린은 이렇게 말한다. "역사에는 온통 훌륭한 남자들만 있고 여자라곤 도통 찾아볼 수 없어.") 여성이 잘못된 교육을 받았을 경우, 그리고 경제적으로 독립하지 못할 경우에 어떤 결과가 초래되는지를 두드러지게 보여 준다.

어떤 의미에서 『노생거 사원』는 순진한 독자를 어떻게 교육할 것인가에 관한 책이다. 여기서 순진한 독자란 소설 속의 독자인 캐서린 모어랜드와 이 소설을 읽고 있는 독자 모두를 의미한다. 이 소설은 소설 읽기와 쓰기에 관한, 그리고 부모의 권위와 가부장적 억압에 관한 재미있는 소설이다. 이 소설을 읽고 나면 독자는 어느 비평가의 말에 동의할 수밖에 없을 것이다. "공포도, 사랑처럼, 가정에서 시작된다."

소설 속 무대를 거닐다
제인 오스틴 문학 여행

우리는 오하이오 주 라이트 주립대 아동문학 교수였다가 은퇴한 메리 루 화이트Mary Lou White와 대화를 나누었다. 그녀는 현직에 있을 때 국제 문학 연구 여행International Literary Study Tours을 조직했고, 1995년 은퇴와 동시에 '북 어드벤처'라는 문학 여행 사업을 시작했다. 제인 오스틴 여행도 여기에 포함되어 있었다. 지금은 북 어드벤처에서도 은퇴했지만 여전히 제인 오스틴 여행을 관리하고 있다.

이상적인 제인 오스틴 여행은 바로 그녀가 태어난 곳, 그녀가 여행했던 곳 등을 방문하는 것이지요. 당신이 직접 그곳의 경치를 보게 된다면, 책에서 묘사된 일들을 더 생생하게 그려낼 수 있을 겁니다. 그녀는 장소를 알아보는 데 있어 탁월한 안목을 가졌어요. 그리고 그 장소를 책 속에 옮겨 놓지요. 집, 교회, 시골 등이 오스틴에게 매우 의미 있는 장소들이었습니다. 제인 오스틴이 걸었던 장소를 직접 걷는다는 건 오스틴 광팬들에게는 아주 짜릿한 경험일 거예요. "여기가 그녀가 작품을 구상한 장소구나. 이 길이 오스틴이 걸었던 길이구나!" 생각만 해도 흥분되는 일이지요.

저와 함께 갈 여행에서 당신은 오스틴이 살았던 곳들을 보게 될거예요. 오스틴이 생전에 봤던 것들을 보면서 오스틴의 소설을 다시 느낄 수 있어요. 오스틴에게 있어서 장소는 중요한 의미를 지닙니다. 따라서 오스틴 팬들에게도 장소는 중요합니다. 이 장소들을 봄으로써 여러분은 오스틴이 소설을 통해 무엇을 말하고 있는지를 알게 될테니까요. 지금은 자동차와 버스가 달리는 길일지라도, 당신은 오스틴 시대의 흙먼지 날리는 길을 떠올릴 수 있을 겁니다. 그리고 평온한 삶이 무엇인지를 알게 되지요. 모든 독자는 책을 읽으면서 상상하게 됩니다. 게다가 이렇게 여행까지 하면 그 상상력은 날개를 달게되겠지요.

제인 오스틴은 마을과 같이 작은 공간에 대해서도 잘 알고 있었습니다. 그녀는 마을을 둘러싼 것들이 어떻게 보이는지에 대해 썼지요. 언덕과 바람에 대해서도요. 오스틴이 살았거나 방문했던 장소에 가면, 비록 200년이 지난 뒤지만 여전히 같은 바람이 불고 같은 나무가서 있는 것을 보게 될 겁니다. 그녀가 방문한 대저택은 여전히 아름답고요. 또한 오스틴의 소설에 등장하는 대저택이 어떤 것인지, 작은 가정집이 어떤 것인지를 알게 될 겁니다. 당신이 실제로 그 장소들을 방문하면 아마 당신의 상상력이 활발히 활동할 겁니다. 마치 200년 전으로 돌아간 것처럼요.

오스틴 독자 중에서도 '순수파'들에게 오스틴과 관련한 곳들은 아주 신성한 장소가 됩니다.

스티브튼 Steventon

우선 아름다운 스티브튼에서 우리의 여행을 시작해 볼까요? 이 작은 마을에는 아직 현대식 건물들이 들어서지 않아 옛 모습이 그대로 남아 있습니다. 오스틴이 태어난 집은 없어졌지만 그 터는 아직 남아 있습니다. 오스틴 가족이 지내던 교회도 그대로 남아 있는데요, 13세기 양식의 이 교회에는 오스틴이 어린 시절 습작을 끼적거린 노트들이 남아 있습니다. 그리고 오스틴 가족의 명판^{名板}들과 무덤들도 볼

스티브튼 목사관의 풍경
ⓒ 알란 소드링
www.astoft.co.uk

성 니콜라스 교회 입구
ⓒ 엘라인 메일렌

수 있어요. 이런 것들을 보면서 오스틴 가족이 정말 신앙심 깊은 목사님 집안이었다는 것을 느낄 수 있답니다.

스티븐튼 가까이에 오스틴이 자주 다녔던 곳들이 있습니다. 지금도 아름다운 자태를 뽐내는 훌륭한 대저택들이죠. 그중 한 곳은 16세기에 지어진 훌륭한 가정집인데요, 베이싱스토크 근처에 있는 바인 가족의 집입니다. 오스틴은 이 집에서 열린 파티에 참석하기도 했어요. 저택은 관람료를 지불하고 볼 수 있도록 개방되어 있습니다. 웅장한 계단 난간과 아름다운 벽장식들을 보고 있노라면 멋진 드레스를 입은 사람들이 계단을 오르내리는 광경이 눈앞에 떠오르지요. 200년 전 사람들이 아름답게 꾸민 이 가정집은 지금 우리의 눈에도 매력적으로 보입니다.

로이드 가족이 살았던 입소프Ipthorpe도 아름다운 곳입니다. 영국적

입소프의 저택 ⓒ 엘라인 메일렌

인 전원의 모습을 그대로 보여주는 시골 마을에서 오스틴이 전원을 즐기는 모습을 상상해 보세요. 참 아름답지요! 이곳에서는 풀을 뜯는 양들도 볼 수 있습니다. 오스틴도 이 양떼들을 보았으리라 생각하면 마음이 따뜻해집니다. 비록 지금은 전등불이 달려 있기는 하지만, 예스러운 느낌을 주는 삐걱거리는 계단도 있답니다.

스티븐튼 가까이에 있는 교회들도 가볼 만한 곳들이랍니다. 다시 지은 건물들도 몇몇 있고요. 교회 묘지를 한번 둘러보세요. 아마도 제인 오스틴이 소설에 등장하는 인물에게 붙인 이름들 몇 개도 보실 수 있습니다.

딘Deane은 스티븐튼의 옆 동네입니다. 오스틴의 아버지는 그곳 교구의 목사 일도 했습니다. 스티븐튼 교구의 목사 자리를 물려받기 전에는 그곳에서 목사 일을 했지요.

거기서 2마일을 더 가면 애쉬Ashe 마을입니다. 아이작과 앤 르프로이가 살았던 목사관이 거기에 있지요(앤 르프로이는 오스틴의 절친한 친구였는데, 낙마 사고로 1804년에 사망했습니다). 애쉬 하우스에는 거실과 주방, 그리고 그 둘을 잇는 아치가 있어요. 그 아치를 보면, 바닥에 깔린 카펫만 걷어 올리면 댄스를 할 장소가 된다는 것을 알 수 있습니다. 르프로이 가족이 바로 여기서 파티를 열었답니다.

윈체스터 Winchester

다음 여행지는 윈체스터입니다. 그곳에서 우리는 굉장히 아름다운 글씨체로 새겨진 묘비 아래 오스틴이 묻혀 있는 성당에 가볼 거예요. 오스틴의 무덤은 정확히 윈체스터 성당의 본당 회중석 북쪽 통로에 있지요. 성당에는 오스틴을 추모하는 아름다운 창문과 청동 액자가 있습니다.

> "우리가 머무는 곳은 아주 편안해. 여기엔 내닫이창이 달린 작고 깨끗한 응접실이 있어. 이 창문으로 내다보면 가벨 박사의 정원을 볼 수 있지."
>
> —제임스에게 보낸 편지, 1817년 5월 27일

윈체스터의 컬리지가 8번지는 뭔가 가슴 뭉클한 곳입니다. 바로 오스틴이 임종을 맞은 곳이기 때문이지요. 이제 이 집은 윈체스터 대

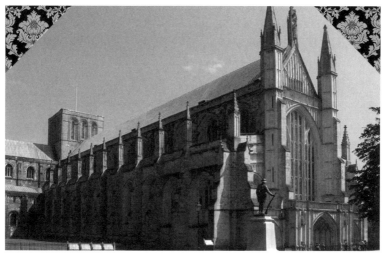

윈체스터 성당 ⓒ 알란 소드링 www.astoft.co.uk

학의 일부로 편입되었지만 건물 자체는 오스틴이 살던 당시 모습대로 남아 있답니다. 2층에는 내닫이창이 달린 방이 있어요. 오스틴은 방 안에 누워서 그 창을 통해 가벨 박사의 정원이며 윈체스터 성당을 바라보았겠지요. 이곳에 방문하신다면 반드시 손수건을 준비하세요. 눈물을 흘리지 않고는 볼 수가 없을 테니까요.

또한 이곳 컬리지 가 8번지는 장소가 매우 중요한 의미를 갖는 하나의 예가 됩니다. 사물의 끝과 죽음을 느끼게 하지요.

초튼 Chawton

초튼 코티지는 제인 오스틴이 생의 마지막 8년을 보낸 집입니다. 초튼 코티지는 미국에서 흔히 볼 수 있는 코티지, 즉 오두막하고는 달라요. 2층짜리 집이고 별채가 딸려 있지요. 이제 초튼 코티지는 '제인 오스틴 하우스 박물관'이라고 불린답니다. 박물관에는 오스틴의 유품들이 전시되어 있어요. 옷이며 퀼트 자수, 장신구 등이지요.

> "초튼에는 침실이 여섯 개 있대. 얼마 전에 헨리가 엄마에게 편지로 방이 몇 개 있는지 알려 줬거든. 우리가 그 집에 방이 몇 개인지 알고 싶어 했잖아. 헨리는 또 다락방에 대해서도 알려 주었어. 엄마는 즉시 그 다락방 중 하나에 에드워드의 하인이 묵도록 결정을 내렸지. 그리고 우리도 다락방을 가질 수 있을 것 같아. 엄마가 허락하셨거든."
> – 카산드라에게 보낸 편지, 1808년 11월 20일

초튼 코티지에서 여러분은 오스틴이 소설을 썼던 방이며 책상, 의자를 보실 수 있습니다. 그곳에는 삐걱대는 문도 있는데 오스틴은 그 문을 고치려 하지 않았어요. 그 삐걱거리는 소리를 듣고 소설 쓰기를 방해하는 누군가가 들어오는지 알고 싶어 했거든요. 그 문은 아직도 삐걱거리고 있답니다.

초튼 코티지에서 아래쪽으로 내려가면 초튼 하우스 도서관이 있어요. 이 건물은 원래 오스틴의 부유한 오빠인 에드워드가 소유하고 있던 큰 집인데요, 샌디 러너라는 미국인이 임대해서 초튼 하우스 도서관으로 개조했지요. 여기에는 1600년부터 1830년까지의 여성 작가들이 쓴 작품들이 소장되어 있어요. 위풍당당한 풍채를 자랑하는 집은 전체를 완전히 보수했답니다.

"그녀는 자신이 하는 일을 하인들이나 방문객들과 같이 가족이 아닌 누군가가 알까 봐 매우 조심스러워했다. 그녀는 필요하면 얼른 치우거나 가릴 수 있게 작은 종이에 글을 썼다. 집 현관과 서재 사이에는 열릴 때 삐그덕 소리를 내는 문이 있었다. 그녀는 이 문을 고치려 하지 않았다. 누군가 들어오는지 알아차릴 수 있기 때문이었다."

– 제인 오스틴 회고록, 제임스 에드워드 오스틴 리 목사

초튼 코티지에 살고 있을 무렵에 제인 오스틴은 돈이 별로 없었어요. 당시 여자들은 상속을 받지 못했거든요. 부유한 오빠 에드워드가

성 니콜라스 교회와 에드워드가 살던 초튼 그레이트 하우스 ⓒ 알란 소드링 www.astoft.co.uk

내준 이 집에서 오스틴은 어머니와 언니, 친구 메리 로이드와 함께 살았지요. 여러분은 오스틴의 삶에 두 가지 서로 다른 측면이 있었다는 걸 아셔야 합니다. 즉, 오스틴은 다소 궁핍하게 산 반면에 그녀의 오빠는 으리으리한 대저택을 소유하고 있었다는 것을요.

초튼에 있는 성 니콜라스 교회는 오스틴이 초튼에 살고 있을 때 다녔던 교회예요. 오스틴의 어머니와 오스틴이 너무나 사랑했던 언니 카산드라가 그곳에 묻혀 있지요.

고머섬 Godmersham

오스틴의 오빠 에드워드는 캔터베리에서 8마일 떨어진 고머섬에 또 하나의 웅장한 장원을 가지고 있었습니다. 오스틴도 그곳에 몇 번 놀러가곤 했어요. 카산드라와 함께 종종 일을 도우러 갔었지요. 물론 고머섬에 가정부가 있긴 했지만 이 결혼하지 않은 고모들은 늘 환영받는 존재였지요. 고머섬은 지금 봐도 굉장히 아름다운 곳입니다. 끝없이 이어지는 드넓은 땅 하며, 그곳에서 보이는 전경이며 모든 것들이 정말 아름답답니다. 그곳에 가보시면 오스틴이 고머섬의 저택들과 작은 집들에 대해서 아주 잘 알고 있었다는 것을 다시 한 번 확인할 수 있을 겁니다.

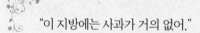

"이 지방에는 사과가 거의 없어."

— 카산드라에게 보내는 편지, 1813년 9월 23~24일

"이곳에서는 자잘한 사건들이 계속 이어지고 있어. 누군가 가고 또 오지. 오늘 아침에는 에드워드 브리지스가 갑자기 찾아와서 같이 아침을 먹었어. 그는 아내가 있는 램스게이트에서 교회가 있는 렌햄에 가는 길이래. 그리고 내일 되돌아오는 길에 여기에 들러 밥을 먹고 하룻밤 묵을 거래."

— 프랜시스에게 보내는 편지, 1813년 9월 25일

"에드워드는 여기 연못을 걱정하고 있어. 연못 물이 자꾸 말라가고 있어서 할 수 있는 모든 일을 다 해봐야겠다고 하고 있어."

— 카산드라에게 보내는 편지, 1813년 10월 21일

고머섬 ⓒ 엘라인 메일렌

굿네스톤 Goodnestone

에드워드 오스틴은 켄트 주 캔터베리 동쪽에 있는 굿네스톤 출신의 엘리자베스 브리지스와 결혼했어요. 오스틴은 엘리자베스 브리지스의 집도 방문했는데, 그녀의 후손들은 여전히 그 집을 소유하고 있지요. 그 집에는 아름다운 거실과 식당, 그리고 댄스파티가 열리곤 했던 큰 홀이 있어요. 그곳의 정원은 정말 얼마나 아름다운지! 풍경을 직접 바라보며 오스틴 소설의 인물들이 그곳에서 산책하는 모습을 상상해 보세요.

굿네스톤 집에는 여전히 사람들이 살고 있어요. 그래서 여러분은 그곳에서 건물뿐 아니라 작은 조각이며 가구며 아름다운 악기들을 직접 보실 수 있습니다. 그곳의 정기를 한번 느껴 보세요. 당신의 상상력이 아름다운 나래를 펼칠 거예요.

"언니도 최근에 여기를 방문했으니까 내가 새삼 이 집 건물이며 그들이 사는 방식 등을 설명할 필요는 없을 거야. 그들은 얼마나 실용적이고도 편안하게 집을 꾸며 놓았는지! 그리고 브리지스 부인의 책장이며 2층에 있는 책꽂이가 어떤 상태인지 또한 굳이 말할 필요는 없겠지. 이 가족과 사돈을 맺게 된 데에 어머니께 감사해야 할 지경이야."

– 카산드라에게 보내는 편지, 굿네스 팜, 1805년 8월 27일

바스Bath

바스는 많은 이들에게 인기 있는 장소지요. 스티븐튼을 보고 나서 바스로 가면, 아마 여러분은 작은 시골마을과 도시의 차이를 경험할 수 있을 겁니다. 너무나 아름다운 무도회장들이 아직도 남아 있어서 일반인들이 구경할 수 있도록 공개하고 있다는 점이 놀랍습니다. 시드니 플레이스 4번가는 오스틴가 여자들이 바스에 처음 왔을 때 3년간 살았던 집입니다. 일종의 작은 아파트형 건물이지요. 이 집 주인은 1층 방들을 세주지 않고 오스틴 팬들에게 개방하고 있답니다. 오스틴 부모가 결혼식을 올린 세인트 스위딘 성당도 아직 그곳에 있지요. 오스틴 아버지는 그곳에 묻혀 있답니다.

시드니 플레이스 맞은편에 시드니 가든즈가 있어요. 아주 좋은 장소지요. 하지만 그 무렵 아버지가 돌아가셔서 오스틴 가족들은 재정적으로 곤란해졌기 때문에 이사를 다녀야만 했답니다. 처음에는 그린파크 빌딩 27번지로, 그리고 게이가 25번지로요. 바스에는 제인 오스틴 센터도 있어요. 이 센터에는 영화에 나왔던 인물들과 똑같이 꾸며 놓은 마네킹이 있으며, 오스틴 소설을 원작으로 한 영화들을 비롯해 오스틴에 관한 많은 흥미로운 것들이 있어요. 그리고 센터에서 소식지도 발간한답니다. 센터는 바로 그린파크에 있는데, 그린파크에서도 오스틴이 살던 곳 근처에 있습니다.

런던 London

제인 오스틴은 코벤트 가든 헨리에타 가 10번지에서 은행원으로 일하던 오빠 헨리를 만나러 런던에 간 적이 있습니다. 런던의 웨스트민스터 사원에 가면 오스틴 액자가 있습니다. 국립 초상화 갤러리에 가면 카산드라가 그린 오스틴 초상화를 보실 수 있지요. 오스틴은 갠싱턴 가든을 산책하길 좋아했어요. 브리티시 도서관에는 제인 오스틴이 글을 쓰던 책상이 있습니다(이 도서관에는 『설득』의 원고 몇 페이지도 있답니다).

오스틴 팬들과 함께 여행을 하는 건 아주 신나는 일이에요. 그들은 오스틴이 쓴 소설, 소설로 만든 영화, 그리고 오스틴이 다녔던 길이나 마을 등에 자신들의 이야기를 덧붙이거든요. 소설의 한 구절을 읊는다든지, 정확히 어떤 부분이 영화에 나왔는지, 그리고 영화의 어

떤 부분이 잘됐고 잘못됐는지 등에 대해서 팬들은 아주 열정적이고
도 세심한 설명을 붙이곤 하지요.

이 여행은 마치 오스틴의 시대에서처럼 느릿느릿 이뤄집니다. 자
동차나 버스로 여행을 하게 될 텐데요, 한 장소에서 다른 장소로 옮
겨 가는 데 보통 한나절이 걸립니다. 오스틴이 살았던 시절에 바로
그런 속도로 여행을 했지요. 게다가 당시에는 지금처럼 변변한 신발
도 없었답니다. 워킹슈즈 같은 건 당연히 없었지요. 산책을 좋아했던
오스틴은 결국 발에 흙을 잔뜩 묻히고 다녔겠지요.

"내가 여기 온 다음 날 아침 드바리 씨의 세 자매가 나를 초대했지만
난 그들의 정중한 초대에 바로 응하지 못했어. 언니도 알다시피 입
소프에서 목사관으로 걸어오는 길이 목사관에서 입소프로 가는 길
보다 훨씬 더 진흙이 많고 나쁘잖아."

　　　　　　　　　　　　- 카산드라에게 보내는 편지, 1800년 11월 30일~12월 1일

오스틴 영화들이 그렇게 인기 있는 이유 중 한 가지는 독자들이
머릿속에 그렸던 장면들을 화면으로 보여 주고 있기 때문입니다. 영
화감독들은 오스틴 시대의 집들과 장소들을 있었던 그대로 재현하
려고 노력하지요. 하지만 이처럼 오스틴 여행을 한번 해보시면, 여러
분이 상상했던 것을 영상이 아닌 현실 속에서 그대로 보실 수 있습
니다. 오스틴이 좋아했던 산책길을 걸어 보세요. 소설의 이야기들이

바스의 로얄 크레센트 ⓒ 알란 소드링 www.astoft.co.uk

훨씬 더 생생하게 다가올 겁니다.

아래는 오스틴 여행객을 위한 유용한 사이트들입니다.

- 초튼 코티지 http://www.jane-austens-house-museum.org.uk

- 초튼 도서관 http://www.chawton.org/library/library.html

- 바스의 제인 오스틴 센터 http://www.janeausten.co.uk

- 제인 오스틴 관련 사진과 정보들을 제공하는 사이트 http://www.astoft.co.uk/austen

- 제인 오스틴 로케이션 http://www.pemberly.com/jasities/jasites

걷기를 좋아하는 여주인공들 : "단지 건강 때문은 아니야"

"3마일이든 4마일이든, 종아리까지 진흙을 잔뜩 묻히고 그것도 혼자서 걸어오다 니? 도대체 저 여자는 왜 저러지? 내겐 단지 구역질나게 거만한 독립심, 예의범절 이라곤 도통 모르는 촌뜨기의 행동으로밖엔 보이지 않아."

– 『오만과 편견』에서 캐롤라인 빙리

병에 걸린 언니를 보기 위해 치마를 휘날리며 달려온 엘리자베스가 도대체 무슨 잘못을 저질렀다는 것일까? 걷는 것이야 모든 사람들이 다 하는 행동 아닌가?

사실 걷기는 당시 신사 계층의 주요한 운동이었다. 건강에 대해 병적으로 걱정하는 우드하우스 씨조차 정원을 걷곤 했다. 바스에서는 특별히 설치한 산책로를 걷는 코스가 관광객들을 끌어모았으며, 개인용 마차가 없던 사람들의 주요한 이동 수단은 걷기였다.

오스틴 소설에서 여주인공들의 걷기는 종종 도발적이고, 심지어는 고딕적이기까지 하다. 때로 마리안느 대시우드에게 불행한 경험을 안겨 주는 산책도 있고, 그 유명한 엘리자베스의 3마일 산책도 있다. 빙리 양과 베넷 부인이 이 산책을 비웃는 이유는 마차만 있다면 그렇게 3마일을 걸을 필요가 없기 때문이다. 3마일이나 되는 거리를 걷는다는 것은 사실 가난뱅이나 장돌뱅이들이 하는 촌스럽고 천한 일이다. 엘리자베스처럼 젊은 여성이 그런 행동을 한다는 건 사람들에게 스스로 비천한 여자라고 떠벌리고 다니는 것이나 다름없었다. 오스틴 소설 속 여주인공들의 이런 '과도한' 걷기는 그들의 열정과 에너지를 보여 주는 장치로서 의미가 있다. 여주인공들은 그런 행동으로 사회적 비난을 받지만 그 열정이야말로 그들에게 신랑감을 얻게 해주는 독립적인 개성 중 하나인 것이다.

엘리자베스 베넷에게 일어난 중요한 일들의 대부분은 그녀가 바깥에서 산책하는 동안 일어난다. "사람들이 레이디 캐서린에게 문안을 간 동안 엘리자베스는 작은 숲을 따라난 오솔길에서 산책을 즐겼다. 레이디 캐서린의 대저택에 맞붙은 숲길에는 작고 아담한 쉼터가 있었는데, 그 오솔길의 가치를 알고 누리는 사람은 오로지 엘리자베스밖에 없는 것 같았다." 그 길을 산책하다가 엘리자베스는 충격적인 사실을 알게 된다. 엘리자베스는 또한 펨벌리에서도 산책을 한다. 그녀가 레이디 캐서린의 분노를 견뎌야 했던 장소는 "초목이 마구 우거진 아름답지만 황야 같은 정원"이었다. 다아시와 엘리자베스는 그 후 이곳에서 산책하다가 과거의 일을 서로 이해하고 미래에 대한 이야기를 나눈다.

패니 프라이스가 연약하다는 것은 그녀가 산책으로 쉽게 피곤해한다는 것을 통해 나타난다. 메리 크로포드가 패니보다 더 건강하다는 사실은 그녀가 에드먼드와 보내는 시간이 더 많다는 것을 의미한다. 메리는 더 오래 걷고 더 오래 말을 탈 수 있기 때문이다. 패니는 앞서 간 그들의 뒤에서 말발굽에 일어난 자욱한 먼지 속에 남겨질 뿐이다. 노리스 부인이 이런 패니를 하루에 두 번이나 목사관으로 심부름을 보냈다는 것은 그녀가 패니를 얼마나 구박하는지를 보여 준다. 모든 사람들이 패니가 얼마나 힘들어할지 알고 있었기 때문이다.

허스트 부인은 엘리자베스 베넷이 "아주 잘 걷는다는 걸 빼고는 도무지 칭찬할 점을 찾을 수 없다"며 불평했을 것이다. 오스틴 소설에서 패니 프라이스를 빼고는 산책을 좋아하지 않는 인물은 긍정적으로 묘사되지 않는다. 메리 머스그로브(『설득』의 비호감 캐릭터=편집자)가 생각나지 않는가?

오스틴의 여주인공들은 운동 삼아 걷고(엘리자베스가 네더필드까지 걷듯이), 심부름하러 걷고(패니가 목사관에 가듯이), 경치를 감상하러 걷는다(펨벌리, 코브, 켄싱턴 가든에서의 산책 등). 때로는 어떤 사람을 피하기 위해서 걷고(빙리 자매와 다아시를 피하기 위해서 엘리자베스가 했던 것처럼), 어떤 사람과 함께 가기 위해 걷는다(엘리자베스와 제인). 위안을 얻거나 기운을 북돋기 위해서 걷기도 한다(클리블랜드에서 마리안느의 산책).

제인 오스틴도 산책을 좋아했다. 그리고 언제든 산책길을 누볐을 것이다. 오스틴은 1801년 5월 21일 카산드라에게 보낸 편지에서 친구 챔벌레인 부인과의 산책에 관해서 쓰고 있다.

우리는 어제 웨스턴까지 또 다시 걸어갔다 왔어. 그것도 아주 놀랄 만한 방식으로 말이지. 그곳 사람들은 우리 말고는 다 이런저런 이유를 대며 사양했기 때문에, 우리 둘이서 은밀한 이야기를 나눌 수 있었지. 우리가 걷는 걸 봤다면 아마 언니는 웃었을 거야. 우리는 자이온 힐까지 올라갔다가 들판을 가로질러 되돌아왔지. 챔벌레인은 정말 언덕을 잘 오르더라고. 도대체 그 아이를 따라잡을 수가 없었어. 그래도 나는 기죽지 않고 정말 열심히 걸었지. 평지에서는 나도 그 애만큼 걸을 수 있었어. 그렇게 우리는 쨍쨍 내리쬐는 햇볕 아래서 출발했지. 그 아이는 양산으로 햇빛을 가리지도 않은 채 쉬지 않고 걸었어. 우리는 웨스턴에 있는 교회 묘지를 쏜살같이 지나왔지. 생매장 당할까 봐 두려워하는 사람들처럼 말이야. 그 애가 걷는 것을 보고 나니 정말 존경심이 생기더라고.

빙리 양은 아마도 절대 이 산책을 좋아하지 않았을 것이다.

1940년, 영국은 독일과 전쟁을 벌
였지만 미국은 여전히 중립적인
태도를 지키고 있었다. 『바람과 함
께 사라지다_Gone With the Wind_』로 큰 성
공을 거둔 할리우드는 영화로 만
들 노 나른 작품을 고르고 있었다.
히틀러가 서유럽에서 세를 확장해
나가고 무시무시한 일들이 벌어지
고 있는 시기에 MGM사는 새로운
작품 소재로 가장 사랑받는 영국
소설을 골랐다. 바로 『오만과 편

〈오만과 편견〉, 1940년 MGM 제작

견』이었다. 「제인추종자들」이라는 글에서 키플링은 제1차 세계대전
의 전장에서 오스틴 소설에 대한 애정을 바탕으로 전우애를 다지게

된 군인들을 묘사한 바 있다. 이 짧은 글에 등장하는 홈버스톨이라는 인물은 "힘든 상황에서 오스틴 소설을 읽는 사람은 없다"고 말한다. 아, 그렇다. 영국이 하루도 전쟁을 멈출 날이 없었던 시대에 살았던 오스틴은, 자신의 나라가 또 다른 전쟁을 벌이고 있는 미래 시대에 새로운 매체와 만났다. 사실, 몇몇 학자들은 전쟁에서 미국을 영국 편에 끌어들이는 것이 이 영화를 만든 제작자의 목적 중 하나였다고 믿는다.

영화 〈오만과 편견〉은 대성공을 거두었다. 가볍고 밝은 분위기의 이 영화는 첫 장면부터 관객을 극에 빠져들게 해 시간 가는 줄 모르게끔 사로잡았다. 마치 베넷 부인과 루카스 부인이 마차를 타고 달리기 경주를 할 때 함께 경주하듯이 느끼는 것처럼 말이다(1940년 영화에서 훌륭한 장면이었다). 비록 엘리자베스보다 열 살이나 많았지만 그리어 가슨이 그 역을 맡았고, 로렌스 올리비에가 다아시 역을 맡았다(몇몇 보도에 의하면 원래 비비안 리와 클라크 게이블이 그 역의 의뢰를 받았다고 한다).

『오만과 편견』의 첫 영화는 전쟁 전 〈바람과 함께 사라지다〉의 미국적인 배경에 영국적인 주제를 얹은 이상한 조합으로 되어 있다. 사실상 영화에 등장하지 않은 유일한 것은 민트 줄렙(위스키나 브랜디에 설탕이나 박하를 넣은 청량음료=편집자)뿐이었다! 크리놀린 드레스를 입은 베넷가 자매들은 "물불 안 가리고 남자 사냥에 나서는 다섯 명의 아름다운 아가씨들"이 된다. 제인 역의 모린 오설리반이 가든 파티에서 "나만을 위해 건배해요"라는 노래에 맞춰 춤을 추며 시작하는 영화는 처음부터 원작과는 아주 다른 모습을 보인다. 가장 놀라운 점은 그 거만한 레이디 캐서린이 신중함과 선의를 상징하는 인물로 그려진다는 것이다(몇몇 사람들은 이 엄청난 변화가 레이디 캐서린 역을 맡은 에드나 메이 올리버가 항상 선한 역을 맡은 배우였기 때문이고, 또한 미국이 영국의 전쟁을 돕게 하기 위해서는 영국 귀족이 미국적 민주주의에 개방적인 모습을 보여야 했기 때문이라고 주장한다).

이 영화의 극본을 쓴 사람은 올더스 헉슬리 Aldous Huxley 인데, 그는 "소설을 영화로 옮긴다는 것은 필연적으로 근본적인 변화를 수반한다."고 믿었다. 그는 "제인 오스틴을 가장 잘 영화화하기 위해서" "기이한 퍼즐 게임"을 했다.

1995년까지 제인 오스틴을 스크린으로 옮기는 "기이한 퍼즐 게임"에 재도전한 시나리오 작가나 감독, 제작자나 배우는 없었다. 그 반면에 TV 드라마로는 꾸준하게 각색되어 왔고 마침내 1995년 BBC 버전의 〈오만과 편견〉이 일대에 오스틴 신드롬을 일으킨다.

이후 오스틴 작품들이 계속 스크린으로 옮겨졌다. 2008년 미국에서는 PBS 방송국의 《마스터피스 시어터》 시리즈에서 '오스틴 전작'이라는 제목 아래 오스틴의 소설 여섯 편을 드라마로 방영했다. 오스틴 소설을 스크린에 옮기는 것은 제작자나 관객 모두에게 즐거움을 주지만 몇 가지 장애 요소가 있는 것도 사실이다. 행동이나 묘사가 종종 과장되는 영화의 특성상, 소설의 미묘한 부분들을 제대로 옮겨 내지 못하는 것이다. 특히 오스틴의 아이러니를 드라마로 구현하기는 쉽지 않다. 영화는 소설의 세계를 다른 방식으로 열며, 소설과는 다른 목적을 갖기 때문이다. 많은 사람들이 영화와 소설 모두를 좋아하는데, 보통 많은 이들이 영화를 먼저 보고 소설을 읽는다. 심지어 영화가 소설을 제대로 표현할 수 없다고 생각하는 사람들도 결국에는 영화를 보는데, 오스틴 소설에서 자신이 매료된 부분들이 어떻게 영화로 옮겨졌는지 직접 확인하고 싶어지기 때문이다. 오스틴 본인 역시 각색의 본질을 이해하고 있었다. 역사상 가장 긴 소설 중 하나인 새뮤얼 리처드슨Samuel Richardson의 『찰스 그랜디슨 경의 역사The History of Sir Charles Grandison』를 짧은 극본으로 만든 적이 있기 때문이다. 폴 포플로스키Paul Poplawski가 『제인 오스틴 백과사전A Jane Austen Encyclopedia』에서 주장한 것처럼. 포플로스키는 오스틴의 각색을 다음과 같이 요약한다. "제인 오스틴은 소설을 자유롭게 변형해서 코믹 모드로 바꾸었다. 하지만 줄거리는 그대로인 채로."

영화는 독립적인 매체다. 독자가 상상한 것에 시각적 이미지를 더함으로써 영화는 오스틴을 복잡하게 하고 때로는 뒤집기도 한다. 이렇게 오스틴을 복잡하게 만들어 결과적인 반전을 이루는 데에는 몇 가지 이유가 있다. 다음에서 우리는 주목할 만한(좋은 의미로든 나쁜 의미로든) 몇 개의 영화와 TV 드라마에 대해 알아보기로 하겠다.

THE COMPLETE
Jane Austen

왜 오스틴 영화인가?

- 글을 잘 쓴다는 명성을 이미 얻은, 잘 알려진 작가라는 점

- 오스틴 소설은 마음 놓고 사용할 수 있다. 로열티를 안 내도 된다!

- 극본으로 만들기 좋은 플롯이다. 오스틴 가족은 스티븐튼의 마구간에서 이미 오스틴 소설로 연극을 했었다!

- 대사가 훌륭하다. 소설에서 대사를 그대로 옮겨와도 된다. 물론 그대로 말하기가 좀 어려울 때도 있지만. 제니퍼 엘Jennifer Ehle은 오스틴 작품의 대사들이 가장 외우기 어렵다고 말한다. "셰익스피어는 오스틴에 비하면 누워서 떡먹기죠."

- 캐릭터들이 강렬하다.

- 시작과 끝이 드라마틱하다.

- 시시콜콜 간섭할 원작자가 없다.

- 오스틴 자신이 장소와 스토리를 너무나 잘 구현했기 때문에 오스틴 본인이 대본 에디터가 된다. 헌스포드에서 다아시가 구혼하는 장면을 다시 읽어 보라. 오스틴은 이 장면에서 다아시를 위해 훌륭한 극본을 만들었다. "흥분된 기색"으로 엘리자베스에게 다가와서 벽난로에 기대고 "빠른 걸음으로 방을 돌아다닌다."

- 시공간을 초월하는 보편적이고 신화적인 주제.

- 보는 즐거움을 제공한다. 시골길, 의상(복고풍 하이 웨이스트 드레스가 다시 유행하기도 했다), 무도회 장면 등.

- 해피엔드

- 이미 이름이 알려져 있다.

- 전쟁 중이든 평화로운 때이든, 그때그때 정치 상황에 맞게 각색할 수 있다.

- 결혼 플롯

- 사람들에게 당연히 읽어야 할 책을 읽었다는 느낌을 줄 수 있다. 실제로 소설을 읽지 않고도 책을 읽었다는 성취감을 주므로.

- 다른 것, 그 중에서도 친숙한 다른 것에 대한 열망을 충족시킨다.

- '풍습'에 대한 사람들의 관심을 만족시킬수 있다.

- 노스탤지어 : '더 순수했던' 시대에 대한 향수

- 오스틴은 러브신을 명백히 묘사하지 않았기 때문에 오히려 영화로 옮길 때 많은 부분을 자유롭게 채워 넣을 수 있다.

- 영화 〈설득〉의 극본을 쓴 닉 디어Nick Dear에 의하면, 우리는 오스틴 안에서 "우리 자신 중의 가장 훌륭한 모습을 발견할 기회"를 찾을 수 있다. 또한 "가장 형편없는 우리 모습"이 코믹하게 구현된 것도 볼 수 있다(패니 대시우드가 바로 그 모습이다).

- 오스틴 소설의 배경이 되는 당대 고전주의 패션은 남성의 몸을 강조한다. 이를 통해 남자 배우의 가장 멋진 모습을 뽐낼 수 있다.

- 오스틴은 또한 여성들의 삶에 사회적인 의식을 부여하고 그것을 재현할 기회를 제공한다.

- 이와 반대로, 오스틴은 오늘날 여성의 지위가 얼마나 발전했는지를 느끼게 한다.

- 영화배우들이 이미 오스틴을 잘 알고 있기 때문에 배우들에게 인기가 좋다.

- 출연 배우가 많이 필요하지 않다(무도회 장면을 빼고는).

- 특수효과가 필요하지 않다.

- 읽고 또 읽고, 보고 또 봐도 오스틴을 완벽히 이해할 수는 없기 때문에 결국 오스틴에 중독되고 만다.

"넘치는" 다아시

루이스 메난드^{Louis Menand}는
1995년 BBC 판 〈오만과
편견〉이 우리에게 "넘치는
다아시^{Extra Darcy}"를 보여 주
었다는 유명한 말을 한 바
있다. 극중의 다아시가 원
작 이상의 감정과 행동을
보였다는 것이다. 극작가
앤드류 데이비스^{Andrew Davies}
의 관점에서 "이야기를 끌
고 나가는 핵심 동력은 엘
리자베스가 다아시에게 느
끼는 성적 매력"이다. 콜린

〈오만과 편견〉, 2005년 포커스 피처스 제작

퍼스의 몸에 렌즈 초점을 맞춤으로써 다아시의 관능적인 에너지가
발산한다. 펜싱, 수영, 승마, 산책 등. 실제로 BBC는 다아시를 세 번
이나 물에 빠트렸다. 네더필드에서 수영을 하고, 로징스에서 편지를
쓰고는 세수를 하며, 펨벌리에서는 수영을 한다. 오스틴 영화에서 남
자 배우들이 매고 있는 크러뱃*은 "풀어달라고 애원하고, 실제로 풀
어진다."고 마틴 보이렛^{Martine Voiret}은 지
적한다. 다아시는 수영을 하기 위해
크러뱃을 푼다(『이성과 감성』에서는 브

* Cravat. 영국의 고어로 17세기경
남성들이 목에 감던 스카프 모양의 장
신구를 말한다.

랜든이 크러뱃을 푸는데, 이를 통해 그의 옷과 감정이 모두 헝클어졌다는 것을 나타낸다).

'넘치는 다아시'는 때로 '부족한 엘리자베스'를 의미한다. 소설에서 엘리자베스는 다아시가 자신을 보고 있다는 것을 알아차린다. 하지만 1995년 BBC 〈오만과 편견〉에서는 다아시가 엘리자베스를 보고 있지만 그 순간에 다아시를 보고 있는 것은 엘리자베스가 아닌 '관객'이다. 우리는 그의 옆모습을 훔쳐보고 그가 어떻게 창밖을 내다보는지, 거울 앞에 서 있는지를 본다. '부족한 엘리자베스'는 엘리자베스가 펨벌리에서 다아시의 초상화를 보는 장면에서도 나타난다. 이 장면은 소설에서 중요한 순간에 영향을 미친다. 엘리자베스가 펨벌리에서 다아시의 초상화를 응시할 때, "그림 앞에 서 있으면서, 초상화의 그가 자신을 쳐다보고 있는 것을 보면서, 그녀는 그 어느 때보다도 감사한 마음으로 그를 생각했다." 그림으로 다듬어진 그의 모습을 보며 엘리자베스는 막연히 느껴오던 바를 명확히 깨닫고, 다시 한 번 곱씹게 된다. 여기서 엘리자베스는 자신을 변화시키는 예술을 경험하고 있다. 이것은 그녀의 순간, 해명의 순간이다. 그녀는 그의 미소를 알아보았고, 이는 단지 알아봄에 그치지 않았다. 하지만 영화에서 이 각성의 순간은 엘리자베스만 겪는 것이 아니라 다아시에게도 나타난다. 다아시는 격해지는 감정을 떨쳐내기 위해 더운 날 말을 타고 땀을 뻘뻘 흘리고, 물에 풍덩 빠져드는 장면을 연출한다. 존 윌트셔John Wiltshire의 『제인 오스틴 다시 만들기Recreating Austen』는 이 병립된 이미지의 중요성을 설명한다. "이 중요한 순간에 영화는 소설

의 주요한 에피소드를 영화의 주
요한 에피소드로 바꿔치기 한다.
즉, 각색될 때 각본가가 남성의 시
선으로 다시 바라보고 규정한 핵
심 말이다." 다아시의 주요한 에
피소드는 살아 숨 쉬는 몸의 움직
임으로 구현된다. 말을 타고, 옷을
벗고, 수영하고, 물에 뛰어든다. 이
런 행동들을 통해 다아시는 엘리
자베스보다 훨씬 더 극적으로 표
현된다. 엘리자베스는 생각하고

〈오만과 편견〉, 1995년 BBC/A&E 제작

느끼고 깨닫는 등의 내적 갈등으로 극에 재현되기 때문이다. 우리는
콜린 퍼스의 몸이 아니더라도, 이런 행동만으로도 다아시의 드라마
에 흡인된다. 이를 통해 극의 초점은 엘리자베스의 마음 속 갈등에서
자기 감정과 싸우고 있는 다아시의 행동들로 옮겨진다.

이렇게 내적인 갈등이 외적인 갈등으로 대체됨으로써 오스틴 소
설을 영화화한 것들 중에서 가장 유명한 장면이 탄생되었다. 콜린 퍼
스는 라디오 프로그램 〈프레시 에어〉의 테리 그로스에게 이 장면의
비하인드 스토리를 설명했다.

셔츠가 흠뻑 젖은 그 장면은 정말 우연히 만들어진 겁니다. 이런 장면
을 고의가 아닌 척하며 일부러 만들어 낸다면 오히려 정말 비참하리

만치 실패했을 거예요. 뭐더라…… 원래 극본에서는 다아시가 완전히 발가벗고 다이빙을 하지요. 난 그럴 수도 있다고 생각했고요. 그는 자기 집에 있는 거였고 더운 날씨잖아요? 하지만 BBC에서 그런 장면을 용납하지 않았어요. 나중에 몇몇 사람들이 속옷 이야기를 했고, 또 당시에는 속옷을 입지 않았다는 말도 들렸어요. (웃음) 제 기억에 속옷을 한번 만들어 보려고 시도했던 것 같아요. "만약 당시에 사람들이 속옷을 입었다면 이런 식으로 생겼을까?" 몇 번 입어 보았는데, 도대체 적당한 게 없더라고요. 지금 말씀드리지만, 만약 내가 그 속옷을 입었더라면 그렇게 열광적인 반응은 없었을 거예요.

대신, 앤드류 데이비스가 말하듯이 "콜린은 영국 여성들의 심장에 불을 질렀다."

넘치는 에드워드

이안 감독과 엠마 톰슨 각본의 1995년 판 〈이성과 감성〉은 우리에게 다정하고 장난기 넘치는 에드워드를 보여 준다(마가렛과 놀고, 마가렛에게 손수건과 지도를 주고, 엘리노어와 말을 타는 에드워드). 이 인물은 단지 넘치는 에드워드가 아니라 외향적인 에드워드다. 그는 자신이 무얼 해야 하는지 알고 있고, 마가렛의 문제를 해결하며, 신랄한 웃음도 선사한다.《마스터피스 시어터》시리즈의 2008년 〈이성과 감성〉도 넘치는 에드워드를 보여 준다. 극작가 앤드류 데이비스는 분명 남자배우들의 젖은 몸을 좋아하는 것 같다. 이 영화에서 에드워드는 크러뱃을 풀어헤친 채, 감정을 달래려 폭우가 쏟아지는 가운데 장작을 팬다. 원작의 에드워드는 분명 용모나 언변이 뛰어난 인물이 아니었다. 조앤 클링겔 레이가 말하듯이 원작의 에드워드는 나무 장작을 팰 정도로 힘이 센 인물도 아니다.

<센스 앤 센서빌리티>, 1995년 컬럼비아 제작

소설 속 에드워드는 엘리노어에게 자신의 비밀 약혼에 대해 결코 말하려 하지 않는다. 하지만 1995년 판 각본을 쓴 엠마 톰슨은 우리가 좀 더 에드워드를 좋아하기를 바랐던 것 같다. 그는 노랜드 마구간에서 더듬거리는 말로 자신의 비밀을 말하려 했지만 곧 다른 일이 생겨서 말을 못하게 된다. 영화를 본 관객은 그가 왜 비밀을 말하지 못했는지 이해할 수 있겠지만 책으로 읽은 독자는 그럴 수 없다.

넘치는 브랜든

오스틴의 남자 주인공들은 모두 관객에게 호감을 받을 수 있도록 연출된다. 1995년 〈이성과 감성〉의 에드워드가 그렇고, 브랜든이 그렇다. 브랜든은 팔머 가족의 집인 클리블랜드에서 엘리노어와 마리안느를 맞이한다. 원작대로라면 그는 더 늦게 도착해야 한다. 그러나 영화에서 그는 비에 흠뻑 젖은 마리안느를 발견하고는 윌로비가 그

랬던 것처럼, 마치 영웅과도 같이 폭우를 뚫고 그녀를 집으로 데려온다. 앤드류 데이비스가 각본을 쓴 2007년 판에서도 브랜든은 마리안느와 엘리노어를 클리블랜드까지 데려다 주고, 마리안느를 구하는 영웅적인 면모를 뽐낸다. 소설에서 마리안느의 병은 훨씬 덜 극적이다. 그녀는 젖은 풀밭 위를 걸어서 집까지 오고, 또 젖은 스타킹을 벗는 일 따위는 하지 않는다. 하지만 비에 젖어 떨고 있는 마리안느를 남자답게 두 팔로 들어 올려 빗속을 뚫고 집까지 데려오는 장면으로 인해 브랜든은 마치 마초처럼 재현되었다. 마초 브랜든의 모습은 여기서 그치지 않는다. 2007년 버전에서 또다시 그의 남성성이 극적으로 재현된다. 그는 결투를 하고, 매사냥을 하기도 한다. 이것이 함축하고 있는 바, 동물을 길들이는 능력이 마리안느와의 관계를 발전시키는 데에도 발휘될 것이다. 에드워드와 브랜든의 경우에서 볼 수 있듯이 남성의 역할과 특성을 강조함으로써, 현실에서 여성들의 삶이 뒤바뀐 것으로 보인다. 현실의 여성은 늘 가슴 뛰는 사랑과 결혼하지 않고, 때로는 브랜든처럼 나이든 사람과, 때로는 에드워드처럼 재미없는 사람과 결혼하게 되어 있는데 말이다.

넘치는 나이틀리

조지 나이틀리는 오스틴의 다른 남자 주인공들보다는 원래 더 광채를 발하는 인물이지만, 미라맥스 판 영화 〈엠마〉는 우리에게 또 다른 나이틀리를 보여 준다. 때로는 매우 귀여운 말도 할 줄 아는 나이틀리 말이다. 나이틀리 역의 제레미 노댐은 거대한 돈월 애비 앞에서 말한다. "이 아늑한 곳에서 좀 쉬어야겠군." 엠마의 화살이 과녁을 맞히지 못하고 빗나가자 이렇게 말하기도 한다. "내 개는 죽이지 마시오."

영화는 풍경과 무대배경이 있다

돈웰 애비를 알 수 있듯이, 영화는 우리에게 아름다운 풍경과 무대배경을 선사한다. 1995년 이후 쏟아져 나온 오스틴 영화에서 아름답게 단장해 필름에 담긴 풍경들은 그 자체가 하나의 캐릭터가 되었다고 흔히들 말한다. 소설가 오스틴은 당대 사람들이 풍경에 대한 아름다움을 공식화했던 풍경미를 풍자한 반면에 영화는 단지 아름다운 풍경을 보여 주는 데서 끝난다. 엠마나 엘리자베스나 앤 엘리엇이 산책하면서 보는 것을 우리도 본다. 그래서 정말 아름답고 화려한 볼거리는 영화배우가 아니라 바로 영화에 담긴 풍경이 된다.

무대배경 또한 그러하다. 로징스는 1995년 BBC나 2005년의 〈오만과 편견〉이 보여 주는 것만큼 그렇게 장엄한 곳일까? 만약 그렇다면 레이디 캐서린이 그렇게 위풍당당하게 구는 것도 당연하다. 미라맥스사의 〈엠마〉처럼 하트필드에는 온실이 있었을까? 만약 사실이라면, 당시에는 창문세가 있었기 때문에 우드하우스 씨는 엄청난 세금을 물었을 것이다. ITV/A&E의 1996년 판 〈엠마〉에서처럼, 나이틀리의 하인들은 손님들이 나이틀리의 정원에서 딸기를 따는 동안 시중을 들었을까? 이런 장면들은 모두 소설이 아니라 영화에 흥미를 좀 더 부여하는 호화로움의 판타지다.

하지만, 영화는 우리가 혼자서는 상상하기 어려운 배경을 보여 주기도 한다. 예를 들면, 자일스 포스터 감독의 1986년 판 〈노생거 사원〉에서 여성들이 바스에서 스파를 하는 장면이 그러하다(캐서린 슐레싱어가 연기한 캐서린 모어랜드는 이 장면에서 바스에 적응해 바스를 다시 올 만한 곳이라 여긴다). 혹은 미라맥스 판의 〈엠마〉에서 우드하우스 씨가 거주하는 방들이

〈노생거 사원〉, 1986년 BBC/A&E 제작

풍기는 폐쇄공포증적 느낌도 그러하다.

BBC의 1995년 판 〈오만과 편견〉은 다아시와 빙리가 말을 달리는 장면으로 시작하는데, 이를 통해 관객은 이 이야기가 빠르게 달려 나가는 이야기이지 결코 느린 이야기가 아니라는 느낌을 받는다.

하지만 이미지는 우리에게 생각보다 많은 이야기를 할 수 있다. 결말이 어떻게 될지를 미리 알려 주면서 말이다. 예를 들어, 미라맥스사의 〈엠마〉에서 활쏘기 장면은 큐피드의 화살이 정확히 누구의 심장을 쏘게 될지를 보여 준다.

플롯 다듬기

1972년 BBC에서 방영한 미니시리즈 〈엠마〉는 플롯이 제대로 다듬

〈엠마〉, 1996년 미라맥스 제작

〈오만과 편견〉, 1980년 BBC 제작

어지지 않았을 때 무슨 일이 발생하는지를 보여 줬다. 마치 집에서 찍은 홈 비디오처럼 보인 것이다. 이 미니시리즈 감독은 원작의 인물이나 대사를 그 어떤 것도 생략하지 말아야 한다고 믿는 듯했다. 책을 읽다 보면 한 장면이 얼마나 긴지를 잘 인식하지 못하지만, 카메라도 별로 움직이지 않고 배우들도 머리를 끄덕이는 것조차 두려워하는 듯 정적인 연기를 보였던 이 〈엠마〉는 너무나 지루했다. 음악도 없고, 화면이 자주 바뀌지도 않고, 배우들의 얼굴이 거의 항상 클로즈업된 상태로 있는 이 드라마를 보면, 마치 여름날 밤 난롯불을 피우고 있는 우드하우스 씨의 방에 갇혀 있는 듯한 느낌을 받는다. 어디 눈을 돌릴 장면도 없는 상황에서 정말 눈을 감아 버리고 싶은 충동을 느낀다.

BBC의 이런 초기 시도처럼 오스틴을 영화에 담는 데 실패하고 싶지 않다면 극작가는 플롯을 어떤 식으로든 정리하고 다듬어야 한다. 물론, 이렇게 정리하는 과정에서 깊이가 조금, 혹은 완전히 사라질 수도 있다. 이야기를 압축하는 것은 대개 사건의 순서를 바꾸고, 인물들을 새로운 장면에 배치시키며, 존재하지 않는 장면을 만들어내는 것과 관련 있다. 오스틴의 소설 여섯 편 중에서 네 편을 각색한 앤드류 데이비스는 각색에 관한 자신의 관점을 다음과 같이 설명한다. "때로 오스틴이 잊어버린 것들을 집어넣는 게 필요하다. 하지만 그녀가 글로 썼던 분위기만큼은 그대로 유지해야 한다."

영화가 원작에 충실한가 아닌가라는 논쟁은 바로 다음과 같은 질문을 통해 이루어진다. 오스틴이 썼던 그 분위기라는 것이 도대체 무엇인가? 그녀가 무엇을 잊어버렸는지 그들이 어떻게 아는가? 실제로 오스틴이 로맨스를 쓴 것인가? 오스틴은 실제 똑같이 중요한 다른 주제들, 예컨대 여자들 사이의 우정의 가치 같은 문제들에 관해서도 다루지 않았는가? 하지만 플롯을 정리한다는 건 부차적인 주제들은 내다버리고 완전히 로맨스에 집중하는 것을 의미한다. 로맨스가 핵심이 되면서 남녀 간의 사랑은 원작에서보다 더 고양되고 찬양된다. 그 결과, 영화들은 정작 오스틴 소설이 비판한 로맨스의 관습에 더 충실하게 되는 것이다.

플롯 다듬기를 통해 두 개의 사건이 하나로 뭉뚱그려지기도 한다. 그래서 미라맥스 〈엠마〉에서는 돈월 애비에서의 딸기 따기와 박스 힐 소풍 장면이 하나로 합쳐졌다. 그것은 어떤 요소들이 생략되었음을 의미한다. 2007년 〈맨스필드 파크〉에서 패니는 포츠머스 집으로 돌아가지 않는다. 1940년 MGM 판 〈오만과 편견〉에는 펨벌리 방문 장면이 빠졌다.

〈엠마〉, 1972년 BBC 제작

영화를 너무 길게 만들지 않기 위해서는 비중이 적은 캐릭터들을 빼야 한다. 비록 그들이 소설 속에서는 많은 즐거움을 주는 인물이더라도 말이다. 누구를 버려야 할까? 1940년과 2005년 판 〈오만과 편견〉에서는 허스트 부부가 빠졌다(2005년 판에서는 네더필드 무도회가 끝난 다음 날 아침 비스킷을 가져오는 힐 씨의 모습을 잠깐 볼 수 있다. 소설에서는 가정부 힐이 보이지만 영화에서는 그 남편을 볼 수 있는 것이다). 마리아 루카스 역시 2005년 판 헌스포드 여행에서 빠진다. 1980년 판 〈오만과 편견〉에는 젠킨스 부인이 빠져 있다. 레이디 캐서린의 삶에서 그렇게 중요한 사람이 존재하지 않는 사람이 되다니! 〈신부과 편견Bride and Prejudice〉*에서는 키티, 피츠윌리엄 대령, 그리고 허스트 가족이 빠졌다. 이안 감독과 엠마 톰슨 각본의 1995년 판 〈이성과 감성〉에서는 낸시 스틸과 레이디 미들턴(그리고 그녀의 아이들)이 빠져 있다. 그리하여, 낸시 스틸이 방문 앞에서 에드워드와 루시의 대화를 엿듣는 장면이 빠졌다.

* 2004년 미라맥스사에서 만든 영화로 『오만과 편견』의 오마주이다.

혈통 확인하기

다시 만든 영화는 늘 이전 영화의 기억을 되살린다. 맥그라스 감독의 1996년 판 〈엠마〉에 나온 활쏘기 장면은 1940년 판 〈오만과 편견〉의 활쏘기 장면을 참조한 것이다. 그런데 실제로 두 소설 모두에서 활쏘기 장면은 나오지 않는다. 다아시는 1940년 판과 1995년 BBC 판 〈오만과 편견〉에서 당구를 친다. 〈맨스필드 파크〉에서 패니 프라이스는 헨리 크로포드가 창문 바깥에 서 있는 것을 보자 손으로 촛불을 끈다. 이 장면은 1995년 BBC 판 〈오만과 편견〉의 다아시가 밤을 새워 엘리자베스에게 보내는 편지를 쓴 뒤 손으로 촛불을 끄는 장면을 연상시킨다. 1986년 〈노생거 사원〉에서 틸니 장군은 매사냥꾼이었다. 이것을 본 따 2007년 〈이성과 감성〉의 브랜든 대령도 매사냥꾼 장갑과 길들이기 기술을 갖게 되었다. 1995년 BBC 판에서 다아시가 펜싱을 하는 이유는 그보다 4년 앞서 제작된 BBC의 〈클러리싸 Clarissa〉시리즈의 엄청난 인기에 영향을 받았다는 말도 있다. 〈클러리싸〉에서 18세기 난봉꾼 러브리스는 펜싱을 한다. 2007년판 〈이성과 감성〉에서 앤드류 데이비스는 다아시가 가지고 있던 펜싱 칼을 브랜든과 윌로비에게 줘 결투를 벌이게 한다.

1980년 BBC와 1995년 BBC의 〈오만과 편견〉에서는 베넷 자매들이 앉을 수 있도록 두 명이 아니라 세 명이 앉을 수 있는 특이한 의자가 등장한다.

최근에 만든 영화를 보면 초기에 만든 영화들의 흔적이 남아 있는 경우가 종종 있다. 이것은 몇몇 배우들이 다시 등장해서가 아니라 그들이 입은 옷들도 다시 등장하기 때문이다. 1995년 ITV/A&E 판 〈엠마〉에서 엘튼 부인이 딸기 따기에서 입었던 연녹색 모슬린 가운은 1980년 미니시리즈 〈오만과 편견〉에서 허스트 부인이 펨벌리에서 입었던 옷이다. 그 반면에 키이라 나이틀리는 2005년 판 〈오만과 편견〉에서 펨벌리를 두 번째 방문할 때 2007년 판 〈이성과 감성〉에서 마리안느가 입었던 흰 레이스가 달린 갈색 벨벳 가운을 입는다.

메트로폴리탄 ^{Metropolitan}

윗 스틸맨 제작, 감독의 1990년 작. 대학 신입생들의 일상에 초점을 맞춘 유쾌하고 재치 있는 코미디로 배경은 뉴욕 맨해튼, 때는 크리스마스 시즌이다. 영화는 시간과 공간을 아주 암시적인 방식으로 설정한다. "맨해튼, 크리스마스 휴가가 시작된 지 얼마 안 됨." '얼마 안 됨'이라……, 이것이 바로 실마리다.

영화에서 우리는 유한계급의 생활상이라든지 인간관계의 본질과 같은 다양한 주제로 담소를 나누는 상

〈메트로폴리탄〉, 1995년 파라마운트 제작

류층 거실을 엿보게 된다. 거기에는 제인 오스틴의 『맨스필드 파크』를 읽고 오스틴에 푹 빠진 오드리가 있다. 오스틴이 거론되고, 토론되고, 재현된다(5번가 서점 창문으로 인형과 줄넘기 옆에 『옥스퍼드 제인 오스틴 전집』 제6권이 놓여 있는 것이 보인다). 처음에 탐은 오스틴과, 특히 『맨스필드 파크』를 그리 높이 평가하지 않았다. 라이오넬 트릴링의 비평문을 읽었기 때문이다. 하지만 나중에 톰은 오드리에게 털어 놓는다. "나도 실은 제인 오스틴을 읽었어. 『설득』 말이야. 좋더군. 좀 놀랐어." 다음 장면에서 우리는 톰의 침대 협탁에 애인 세레나(그의 메리 크로포드이다) 사진과 함께 『설득』이 놓여 있는 것을 볼 수 있다.

우리는 이 두 인물에서 패니 프라이스와 에드먼드의 흔적을 찾아볼 수 있다. 하지만 때로, 톰은 에드먼드보다는 패니의 특징을 재현하는 것처럼 보일 때도 있다. 맨해튼 서쪽 지역에 살고 있는 탐은 패니처럼 갑작스럽게 다른 계층, 다른 문화, 즉 상류층 이스트사이드의 부잣집 아가씨들과 어울리게 된다. 패니가 에드워드를 좋아하는 것처럼 이 아가씨도 늘 톰을 좋아한다. 영화의 중심 에피소드는 바로 '진실' 게임이다.

이 진실 게임은 게임의 본질과는 정확히 반대되는 것이다. 진실 게임은 위장과 꾸미기가 아니라 정직과 열린 마음을 필요로 하기 때문이다. 하지만 오드리에게 있어서 이 진실 게임은 문제의 순간이고, 맨스필드 파크의 순간이다. 영화가 끝날 무렵, 헨리 크로포드와 마리아 러시워스의 장면이 나온 뒤에 톰은 오드리에게 말한다. "제인 오스틴이라면 저런 일은 하지 않았을 거야."

맨해튼의 제인 오스틴Jane Austen in Manhattan

머천트 아이보리 사가 좋아하는 극작가인 루스 프로어 자브라바Ruth Prawer Jhavlava가 각색한 이 영화는 각색이라는 문제를 직접적으로 대면한다. 영화는 오스틴이 어렸을 때 쓴 연극 「찰스 그랜디슨 경, 혹은 행복한 남자Sir Charles Grandison, or the Happy Man」를 각색한 것이다. 소더비 경매에서 원고를 사려고 경쟁하는 두 남자로 시작되는 도입부는 이 영화에서 인물들이 각축을 벌이는 이유가 바로 원고라는 것을 바로 알려 준다. 누구의 해석이 승리할 것인가? 배우들에게 강력한 감정적인 영향력을 행사하는 아방가르드 연극 감독인 삐에르(로버트 포웰 연기)일까, 아니면 그의 멘토인 릴리아나 조르스카(앤 박스터가 아주 놀라운 연기를 펼쳤다)일까? 영화의 중심 주제는 연극에서 납치당하는 역할을 맡은 젊은 여성이 실제로 납치된 사건이다. 영화는 재미있으면서도 고통스럽다. 영화는 누가 오스틴을 해석할 권리를 가졌는가라는 질문을 던지는 것 같다. 그러면서 영화는 자신만의 방식으로 하나의 열린 대답을 제시한다.

루비 인 파라다이스Ruby in Paradise

빅터 누네즈Victor Nuñez가 각본과 감독을 맡았고, 루비 기싱이 테네시의 전원을 떠나 플로리다 해안으로 가는 역을 맡았다. 그녀의 결점 많은 청혼자 중 한 명인 마이크가 그녀에게 『노생거 사원』을 빌려준

다. 루비는 이 소설이 '고상한 이야
기'라고 생각하고 자신이 캐서린
모어랜드와 유사하다고 생각한다.

클루리스Clueless

에이미 헤커링Amy Heckerling의 〈클루
리스〉는 배경이 바뀌었음에도 두
세계에 갇힌 엠마의 딜레마를 포착
했다는 점에서 가장 충실한 오스틴

〈루비 인 파라다이스〉, 1995년 파라마운트 제작

오마주이다. 이 영화는 〈어느 날 밤
일어난 사건It Happened One Night〉이나 〈필
라델피아 이야기The Philadelphia Story〉처
럼 괴짜 코미디 영화의 전통을 답
습하고 있다. 이 영화가 소설 『엠
마』와 닮았다는 것은 명백하기도
하고 암시적이기도 하다. 〈클루리
스〉의 십대 소녀들은 섭정기의 젊
은 여성들이 입었을 법한 엠파이어
웨이스트 드레스를 입는다. 왜 조
쉬(사돈이기보다는 의붓오빠 같은)는

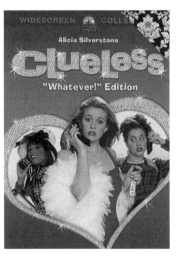

〈클루리스〉, 1995년 파라마운트 제작

나오는 장면마다 늘 먹기만 하는지 잘 알 수 없다.

소설에서 엘튼 씨는 엠마에게 말한다. "제가 스미스 양에게 청혼을 해야 할 만큼 그렇게 저와 맞는 여성이 없다고는 생각하지 않습니다!"〈클루리스〉에서도 같은 반응을 볼 수 있다. "우리 아버지가 누군지 모르세요?"

엠마의 자선 행위는 피스모 해안 재난구호 활동에 참여하려는 셰르의 결정과 대비를 이룬다. 헤커링은 프랭크 처칠의 비밀을 바꾼다. 하지만 그는 여전히 결혼 상대자로 거론되지 못한다. 공동체와 구역 모임에 관한 나이틀리 씨의 관심은 조시가 유방암 예방 티셔츠를 입고 유명인사에게 나무를 심도록 요청하는 것과 대비된다. 이 영화는 소설 『엠마』 안에서 이리저리 춤을 추고 있다.

유브 갓 메일 You've Got Mail

영화의 주인공들이 엘리자베스-다아시 커플과 많은 점에서 닮았음을 은연중에 느낄 수 있다. 주인공들이 카페에서 고통스런 결정적 순간을 맞이하고 있을 때 카페 테이블 위에 『오만과 편견』이 놓여 있는 것으로 이 사실은 최고로 명백해진다.

브리짓 존스의 일기 Bridget Jones's Diary

헬렌 필딩 Helen Fielding 의 작품을 영화로 옮기면서 제작자들은 원작보다는 1995년 BBC에서 만든 드라마 〈오만과 편견〉을 더 닮고자 했던 것 같다. 앤드류 데이비스가 두 작품의 각본을 맡았다는 데서 이런 사실은 더 극명해진다. 또한 다아시 역을 맡았던 콜린 퍼스가 다시 브리짓 존스의 상대역을 맡음으로써 두 작품 사이의 유사성은 극에 달했다.

처음에 미국인인 르네 젤위거가 전형적인 영국인인 브리짓 역을 과연 잘 해낼 수 있을까 우려가 있었던 것도 사실이다. 하지만 결과는 해피엔드이다. 브리짓 존스의 '블루 수프' 파티가 인기를 끌고 있는 것에서 볼 수 있듯이 말이다. 샤론 맥과이어 감독은 말한다. "브리짓과 다아시는 서로에게 집과 같은 존재들이지요."

〈브리짓 존스의 일기〉, 2011년 미라맥스 제작

설득
PERSUASION

이제 우리는 켈린치 홀의 문을 열게 된다. 켈린치 홀은 으리으리한 별장으로, 그 주인인 월터 엘리엇 경은 켈린치 홀에 비하면 다소 초라해 보이기까지 한다. 『영국 남작가문 족보』에 온 가족의 이름이 올랐을 만큼 엘리엇 가문의 명성은 대단하지만 그 명성을 받쳐줄 재산은 아내가 죽고 나서 인생 후반기를 맞은 월터 경이 마음 놓고 위세를 떨치며 낭비할 만큼 충분하지 못했다. 어리석은 엘리엇 경과 딸 엘리자베스가 화려한 켈린치 홀의 지붕 아래에서 위태롭게 흔들리고 있는 집안의 재정을 더욱 위태롭게 하고 있을 때, 이 집 재정이 그나마 바닥나지 않고 있는 것은 앤 엘리엇과 믿을 수 있는 이웃 레이디 러셀의 현명한 관리 덕분이다.

하지만 소설의 시작과 동시에 이 불안한 상황은 결국 예견되어 있던 종말을 맞는다. 『이성과 감성』처럼 『설득』도 주인공들이 재산을 잃고 이사 가는 것으로 시작하기 때문이다. 엘리엇 가족이 이사 갈 만한 더 싼 목장이 나타난다. 그것도 바로 바스에 말이다. 월터 경은 켈린치 홀을 임대로 내놓아야 한다는 말을 듣고 경악하지만 어쩔 수 없는 일이었다. 그들이 한 푼이라도 절약해야 한다는 앤의 호소를 너

무나 오랫동안 무시해 온 결과였기 때문이다. 결국은 또 "단지 앤일
뿐"이라고 자조하던 앤만이 모든 것을 담담히 받아들인다. 월터 경
은 비록 잠시 동안이지만 켈린치 홀을 잃으면서 집보다 더 중요한
무엇, 즉 그가 소중히 여기던 명망과 도덕적 권위의 상실을 체험한
다. "단지 앤"일 뿐인 우리의 여주인공은 남작가문 족보에 이름이 올
랐다는 것만으로 허영심에 가득 차지도 않고, 어리석은 아버지의 영
향을 받아 똑같이 어리석은 행동을 하지도 않는다. 앤은 "우리가 사
는 테두리를 벗어나면 우리는 아무것도 아니라는 것"을 알고 있다.

　월터 경은 임차인을 얻기 위해 광고를 낼 필요는 당연히 없을 거
라고 확신하고 있다. 켈린치 홀은 누구든지 기꺼이 임대하고 싶어 할
만한 곳이지만 이곳에 들어와 살 수 있는 사람은 반드시 완벽한 사
람이어야만 한다. 굳이 광고를 내서 이웃에게 그의 불행을 알릴 필
요가 없으며, 더욱이 광고를 내면 별로 마음에 들지 않는 사람이 집
을 임차하겠다고 나설지도 모르는 일이었다. 특히 "최근에 프랑스와
의 전쟁에서 돌아온 해군" 같은 사람들 말이다. 월터 경은 그 무례하
고 무식한 사람들이 재산을 모은 것에 대해 생각하자면, 결국 용감함
과 왕에게 봉사했다는 두 가지뿐이라는 결론에 이르렀다. 이런 자들
의 절반 정도는 근본을 알 수 없는 미천한 집안 출신이고, 그들 중 남
작 직위를 가지고 있는 자는 더더욱 한 번도 본 적이 없다. 그런 부류
의 자들에게 집을 맡기다니, 안 될 말씀! 그런 어중이떠중이들이 기
웃거리게 할 수는 없다. 레이디 러셀과 앤, 그리고 현명한 변호사 셰
퍼드 씨는 그저 완벽한 임차인이 나타날 때까지 두 손 놓고 함구한

채 기다리는 수밖에 없었다.

월터 경과 엘리자베스가 집 떠나는 슬픔을 떠벌리고 다니고, 짐을 싸고 변호사와 말씨름하느라 야단법석이 벌어지는 사이, 앤 엘리엇은 안 보이는 곳에서 슬픔을 달래야 했다. 이제 스물일곱인 앤, 그녀는 더 이상 통통 튀는 젊은 아가씨는 아니지만 남에게 고통을 끼치기보다는 자신이 감당해야 할 고통을 묵묵히 견디는 "점잖은 마음가짐"과 "부드러운 성격"을 지니고 있다. 그녀는 바스가 결코 즐거운 곳이 될 수 없다는 것을 알지만 조용히 바스로 향한다. 고요하고 아늑한 켈린치 홀을 떠나 사람들이 무리지어 법석을 떠는 냉정한 도시에서의 삶을 시작하는 것이다. 아버지는 걱정스러울 정도로 점점 더 어리석은 행동만 하고, 설상가상으로 엘리자베스는 별로 품행이 단정해 보이지 않는 젊은 미망인 클레이 부인과 어울려 다닌다. 클레이 부인이 월터 경 가족으로부터 변함없이 환영 받는 한편, 가족들 사이에서 앤이 설 자리는 점점 사라져간다. 그들은 앤 대신에 클레이 부인을 선택한 것이다. 클레이 부인이 홀아비 월터 경에게 그렇게나 가까이 붙어 있는 이유는 무엇일까?

하지만 이 모든 실망과 걱정은 앤의 마음속에 있는 커다란 후회에 비하면 아무것도 아니다. 우리는 켈린치 홀에 들어올 임차인의 이름이 거론되면서 앤이 품고 있는 후회의 내막을 알게 된다. 월터 경에게는 안된 일이지만, 켈린치 홀에 들어와서 살 사람은 해군 대장인 크로프트였다. 크로프트 대장 부부가 켈린치 홀을 빌릴 만한 적당한 인물로 추천되고, 월터 경은 불만스럽지만 어쩔 수 없이 제안을 받아들인다. 하지만 크로프트라는 이름은 앤에게 완전히 다른 의미를 지니고 있다. 앤은 크로프트 부인을 생각하며 옛 추억을 다시 떠올리게 된 것이다. 크로프트 부인은 처녀 시절 웬트워스 양이었는데, 웬트워스가 바로 앤에게 그렇게나 소중한 이름이었다.

이제 우리는 수년 전에 잠시 켈린치 홀 근처에서 살았던 해군 대령, 프레데릭 웬트워스와 앤의 관계에 대해 듣게 된다. 당시에 그는 지금보다 좀 더 발랄했던 앤 엘리엇에게 반해서 청혼을 했다. 비록

1833년 『노생거 사원/설득』의 표지 그림.
웬트워스 대령과 루이자 머스그로브의 대화를 엿듣고 있는 앤 엘리엇.
"그녀의 감정이 그녀를 꼼짝 못하도록 그곳에 붙박아 두었다.
정신을 가다듬느라 한참이 지나고 나서야 그녀는 가까스로 움직일 수 있었다."

그들이 오랫동안 서로 사랑했음에도, 재산도 많지 않고 그리 내세울 것도 없었던 젊은 군인은 엘리엇 집안의 사윗감으로 적합하게 여겨지지 않았다. 월터 경은 지참금을 한 푼도 주지 않겠다고 선언했고, 레이디 러셀은 어린 나이에 가난한 사람과 결혼하는 것은 인생을 망치는 길이라며 적극적으로 앤을 뜯어말렸다. 앤은 결국 그들의 반대를 받아들였다. 약혼하려던 계획을 취소했고, 수년이 흐른 지금 그녀가 웬트워스를 떠올리며 드는 생각이란 "어쩌면 그가 이리로 올지도 모르겠네." 하는 정도다. 웬트워스 대령과의 관계가 끝났다는 점을 앤은 조금도 의심하지 않았다.

지금은 머스그로브 부인이 된 앤의 막내 동생 메리가 앤에게 어퍼크로스 코티지로 와달라고 요청한다. 몸이 아프기 때문에 앤에게 와달라고 한 것이긴 한데, 그레이트 하우스의 디너파티에 참석하지 못할 만큼 아픈 것은 아니었다. 어퍼크로스 코티지에 옴으로써 앤은 온통 신경 써야 할 사람들에 둘러싸이게 된다. 어퍼크로스 코티지에는 메리와 찰스 머스그로브 부부와 아이들이 있고, 그레이트 하우스에는 찰스의 부모와 여동생들이 산다. 찰스의 두 여동생 헨리에타와 루이자는 그레이트 하우스를 방문한 새로운 손님의 마음을 사로잡으려는 즐거운 계략에 빠져 있다. 그 새 손님이란 바로 웬트워스 대령이다.

켈린치 홀과 어퍼크로스가 거리로 보나 집안들 간의 사이로 보나 너무나 가깝기 때문에 웬트워스 대령이 그들의 집을 방문하는 건 너무나도 당연하다. 앤은 그런 사정을 알았지만 그와의 마주침이 고통스러운 것은 어쩔 수 없는 일이다. 헤어진 옛 애인과 자주 마주치면서도 인사치레 이상의 어떤 교류도 하지 못한다는 것은 견디기 힘든 일이었다. 설상가상으로, 앤은 이곳에서 어울리게 된 다른 사람들로부터 끊임없이 시달림을 당한다. 헨리에타와 루이자 중 누가 웬트워스와 결혼하게 될지 내기를 거는 게임에 동참하라는 것이다. 앤이 보기에 웬트워스는 두 여성 중 누구에게도 관심이 없어 보이지만 그녀들은 웬트워스에게 눈에 띄게 관심을 보인다.

앤은 여러 상황에서 이들이 서로 가까워지는 것을 보게 된다. 언덕을 산책하다가, 혹은 어퍼크로스에서의 만찬에 참석했을 때, 그리고 가장 중요하게는 어느 휴일 라임 레지스의 해변 마을에서 등등. 웬트워스 대령은 옛 해군 친구인 하빌 대령의 집을 방문한다. 그는 이곳에 헨리에타, 루이자, 찰스 머스그로브와 동행하는데, 찰스에 대한 예의상 메리에게도 동행을 청하고 덩달아 앤도 함께하게 된다. 이곳에서 여러 가지 흥미로운 사건들이 벌어진다. 첫 번째 사건은 좋은 사람이긴 하지만 불행한 과거를 지닌 벤윅 대령을 만난 것이다. 그는 예전에 하빌 대령의 여동생인 패니 하빌과 약혼했지만 결국 결혼하지 못했다. 벤윅 대령이 바다로 나간 사이 패니가 죽었기 때문이다. 약혼녀가 죽은 뒤, 그는 바이런과 스콧의 작품에 푹 빠져 우울하게 지내 왔다. 그렇지만 그는 어퍼크로스에서 온 일행들과 함께 하면서, 특히 앤과 대화를 나누는 사이에 어떤 마음의 변화를 일으키는 것 같다. 벤윅 대령은 어퍼크로스에서 온 일행이 라임을 방문하는 동안 그들과 동행했다. 여기서 소개되는 또 다른 주목할 만한 사람이 있으

'할머니의 이빨'이라는 이름이 붙은 좁은 돌계단.
루이자는 일부러 이 돌계단에서 뛰어내리는 사고를 치고,
후에 코브를 찾은 테니슨은 이곳을 둘러본다.

니, 바로 앤의 사촌인 엘리엇 씨다. 그는 월터 경이 죽으면 모든 유산
을 물려받을 상속인이다. 우리는 이 소설에서 그가 무슨 역할을 할지
아직 알지 못한다. 그는 앤의 윌로비일까? 아니면 헨리 크로포드일
까? 혹시 다아시일까?

엘리엇 씨는 이후 중요한 역할을 맡게 되지만, 그의 등장은 곧이
어 벌어지는 더 대단한 사건에 묻혀 버린다. 바람둥이 아가씨 루이자
머스그로브가 일행과 함께 코브를 걷다가 자신의 사심을 채울 수 있
을 만한 장난을 생각해 낸 것이다. 코브는 바다 쪽으로 돌이 솟아난
방파제 같은 구조물로 2층으로 이루어져 있는데, '할머니 이빨'이라

고 불리는 좁은 돌계단을 통해 아래층으로 갈 수 있다. 루이자는 이 돌계단에서 뛰어내리면 웬트워스 대령이 자신을 받아서 그 품에 안기게 될 거라 생각했다. 루이자는 웬트워스 대령이 말렸음에도 결국 뛰어내렸고, 일행의 비명소리와 함께 코브의 아래층 단단한 돌에 부딪쳐 정신을 잃었다.

그 중 앤만이 침착하게 행동해 의사를 부르러 사람을 보내고 이 지역을 잘 알고 있는 벤윅 대령을 부를 수 있었다. 이 사건을 통해 앤 엘리엇은 어떤 상황이 닥치더라도 최선의 결과를 이끌어 내는 인물임이 드러난다. 앤은 사람들에게, 특히 웬트워스 대령에게 뚜렷한 인상을 남기고, 곧이어 앤이 바스로 떠난 다음에도 모든 일행이 이 사건을 기억하게 된다. 우리는 오스틴이 계속해서 많은 복잡한 사건들을 통해 앤을 머스그로브가 사람들, 하빌가 사람들, 크로프트가 사람들, 엘리엇가 사람들, 그리고 웬트워스와 얽히게 만들 것임을 짐작할 수 있다. 그리고 오스틴은 결코 우리를 실망시키지 않는다.

리차드 젠킨스가 말하듯이, 『설득』은 "너무나 짧지만 보기 드문 명작"이다. 월터 엘리엇 경을 켈린치 홀에서 내보낸 것은 마을에 질서가 새로이 잡힌다는 것을 암시한다. 혼자 힘으로 재산과 명성을 이룩한 자들이 상속으로 재산과 명성을 얻은 자들을 대체하는 질서다.

"이 무렵에 사고가 났다는 사실이 코브에서 일하고 있는 일꾼들과 뱃사람들 사이에 퍼졌다. 그리고 많은 사람들이 도울 일이 있을까 해서 모여들었다. 그들은 마치 죽은 것 같은 한 젊은 여성의 시체를, 아니 두 여성의 시체를 볼 수 있었다. 그들이 들은 소식은 한 여성이 사고가 났다는 것이었는데, 와서 보니 두 사람이 사고가 난 것 같았다."

우리는 『설득』에 등장하는 해군 한 명 한 명을 만나기도 전에 그들을 좋아하게 될 것이라는 걸 미리 안다. 그들에 대한 월터 경의 편견—속물적인 귀족 의식에 기반한—으로 인해 오히려 해군들한테 호감을 갖게 되는 것이다. 크로프트 부부는 켈린치 홀에 들어오면서 월터 경의 속물적인 허례허식이 가장 잘 드러나는 상징적인 물건을 발견한다. 드레싱 룸에 있는 커다란 거울들이다. "그렇게나 거울이 많다니! 세상에! 그 방에는 온통 자기밖에 없겠더군요." 크로프트 대령이 앤에게 불평한다. "엘리엇 양, 당신 아버님은 나이보다 훨씬 더 멋을 내는 분이신 것 같네요." 크로프트 대령에게는 면도할 때 볼 작은 거울이면 충분했던 것이다. 오스틴은 이 단 몇 줄로 능력 중심 사회의 본질을 잡아낸다. 그녀는 이 해군들처럼 행동하는 남성들이 해군을 바라보기만 하는 낡은 사고방식의 남성들을 얼마나 간단하게 대체하는지를 보여 준다.

웬트워스 대령 역시 이 새로운 질서에서 배워야 할 것들이 있다. 언제 마차를 몰아야 할지를 알고 남자 형제와도 당당하게 논쟁할 줄 아는 여성도 있다는 사실 말이다. 웬트워스는 여성에 관한 한 보수적이다. 그러나 그의 누이 크로프트 부인은 "공정하고 올곧으며 활력이 넘치는" 여성이다. 그녀는 남편과 함께 배를 타본 적도 있다. 그녀는 "주변에 있는 다른 군인들만큼이나 지적이고 날카로워" 보인다. 그녀는 "개방적이고 관대하며 단호한 성품을 지녀 자신에 대해서나 스스로 해야 할 일을 정확히 알고 의심하지 않는 사람이다. 그리고 유머를 잃지 않되 결코 천박하지는 않다." 그녀는 크로프트 대장과 '모든 것'을 공유한다.

『설득』은 종종 '전성기 이후의' 소설로 여겨진다. 1817년 오스틴이 죽기 전에 마지막으로 완성한 소설이기 때문이다. 물론 이 소설을 시작한 1815년 8월 8일, 그리고 집필 기간인 1816년에도 오스틴은 자신의 죽음을 예상하지 못했다. 게다가 새로운 소설 『샌디튼』을 쓰기 시작했고, 자신이 살아있을 때 출간되지 못한 『노생거 사원』을 다시 집어 들기까지 했다.

이 소설이 전성기 이후 소설로 여겨지는 또 다른 이유는 앤 엘리엇이 웬트워스 대령이 생각하듯 자신이 "한창의 아름다움"을 잃었다고 생각하기 때문이다. 그럼에도 오스틴의 생애에서 이 소설은 그렇게 간단하게 자리매김 되지 않는다.

클로디아 존슨Claudia Johnson은 『설득』과 『이성과 감성』이 서로 같은 구성요소를 공유한다고 지적한다. 두 소설 모두 가족의 이사로 시작하며, 앤은 엘리엇처럼 표현하지 못하는 사랑을 감내해야 한다. 게다가 웬트워스는 다아시처럼 두 번의 청혼을 해야 했다. 이런 요소들로 볼 때 이 소설을 '전성기 이후'의 것으로 볼 수만은 없다.

버지니아 울프Virginia Woolf는 "위대한 작가들치고 오스틴만큼 그 위대함을 포착해 내기 힘든 작가도 없다"고 말한 바 있다. 하지만 오스틴의 위대함은 이 소설 전체에 걸쳐 나타난다. 특히 서둘러 쓴 편지글에서 그 위대함은 절정에 이른다. 결말을 고침으로써 첫 원고로부터 얼마나 더 완성도 높은 이야기가 되었는지 또한 오스틴의 위대함을 엿볼 수 있는 부분이다.

앤 엘리엇, 오로지 앤만이 그녀의 목소리를 찾는다. 그것은 그녀 스스로 해내야 하고, 또 해낼 수 있는 일이다. 앤은 침묵하는 인물에서 설득력 있게 이야기하는 인물로, 수줍어하는 인물에서 담대하게 주장하는 인물로 변화한다. 라임 레지스에서 추락사고가 난 이후 그녀는 앞으로 나와 세상의 새로운 질서를 만드는 데 일조하게 된다.

베넷 부인은 옳았다
오스틴 소설의 결혼 플롯

"미혼인 여자는 십중팔구 궁핍해지게 마련이란다. 이것이 결
혼을 해야 하는 강력하고도 유일한 이유지."

—조카 패니 나이트에게 보내는 편지, 1817년 3월 13일

꿩장히 화가 난 베넷 부인이 제일 마음에 들지 않는 딸에게 말한다.
"엘리자베스, 네가 이런 식으로 계속 청혼을 거절하면 네게 맞는 남
편은 결국 찾을 수 없을 거다. 그리고 네 아빠가 돌아가시면 누가 널
먹여 살릴지 나는 모르겠구나." 비록 딸들을 시집보내는 것에 과하
다 싶을 정도로 집착하는 베넷 부인이긴 하지만 이 말은 구구절절이
옳다. 오스틴 스스로 자신의 조카에게 편지로 말하는 것을 봐도 알
수 있다. "미혼인 여자는 십중팔구 궁핍해지게 마련이란다."

오스틴은 연애를 하거나 하지 않거나 여성들은 로맨스로 인해 상
처받을 수 있다는 것을 보여줌으로써 사회의 현실을 충실히 그려 낸
다. 오스틴 소설을 통해 우리는 간통이 여성에게 어떤 결과를 초래하
는지, 난봉꾼이 어떻게 여자를 유혹하는지, 결혼 안한 상태로 임신한
여성이 어떻게 되는지, 그리고 가난한 미혼 여성이 어떤 문제에 직면
하게 되는지를 알게 된다.

샬롯 루카스처럼 젊은 여성들이 결혼하지 않고 선택할 수 있는 것
이 무엇인지 생각해 보자. 제인 오스틴은 어떤 길들이 있는지 분명
히 보여 준다. 먼저 나이틀리가 엠마에게 지적했듯이, 베이츠 양처럼
하층민으로 떨어지는 길이 있다. 혹은 『이성과 감성』의 낸시 스틸처

럼 될 수도 있다. 샬롯 루카스는 이런 사실을 인식하고 있었다. 그녀가 엘리자베스에게 설명하듯이, 결혼은 본질적으로 현실적인 문제다. "너도 알다시피 나는 낭만적이지 않아. 나는 한 번도 낭만적이었던 적이 없어. 나는 단지 편안한 가정을 가지고 싶어. 콜린스 씨의 인품이나 인간관계, 여러 상황들을 고려해 볼 때, 그와 결혼해서 행복할 가능성은 다른 여느 결혼하는 사람들이 기대하는 것만큼 충분하다고 생각해." 그 말을 들은 엘리자베스는 이제 샬롯과 이전만큼 가깝게 지내지 못할 거라고 생각하지만 그래도 여전히 친구 관계를 유지한다.

섭정기 시대 여성에게 있어서 결혼은 대부분 사회적 지위를 향상시키기 위한 수단이었다. 운 좋게도 뛰어난 예술적 재능을 타고 난 여성들은 재능을 이용해 돈을 벌 수 있었는데, 그것도 직업이라기보다 '취미'로 여기는 한에서나 가능했다. 섭정기 사회에서 여성이 어떤 종류든 일, 혹은 '직업'을 갖는다는 것은 사회적 지위가 낮아진다거나 심지어는 상류 계층에서 추방될 위협에 처할 만한 일이기까지 했다. 그래서 오스틴도 자기 이름을 숨기고 책을 낸 것이다.

남성과 여성은 공히 결혼할 것으로 예상되었고, 나라의 법률에 의해 거의 강제로 결혼해야만 하기도 했다. 크리스텐 올슨Kristen Olsen의 『오스틴에 관한 것Things about Austen』에는 결혼하지 않은 노총각들이 더 많은 세금을 내고, 심지어 하인들에 대해서는 두 배의 세금을 물어야 했던 것에 관한 설명이 나온다. 이것은 결혼을 경제적인 문제로 만들었다. 싱글로 남아서 돈을 더 무느니 차라리 결혼해서 (바라건대 상당한) 지참금을 얻는 편이 수지타산에 맞는 것이었다.

한편 자녀들의 미래를 위해서 돈을 따로 준비해 두는 것이 부모의 의무였다. 상류 계층 남성들의 경우, 부모가 사망하면 재산 대부분을 상속받을 수 있었던 반면에 여성들은 지참금 형태로 상속을 받았다. 사랑보다는 잿밥에 더 관심이 있는 남성들에게 지참금은 말 그대로 '셀링 포인트selling point'가 된다. 이렇게 남성들이 돈만 밝히는 경우가 많고, 섭정기 사회가 상대적으로 엄격한 시대였음에도 단지 돈만이 아니라 사랑으로 맺어지는 커플도 점차 많아지기 시작했다.

물론 그렇다고 해서 결혼에서 돈 문제가 완전히 빠지는 건 아니

그레트나 그린에서의 결혼식 풍경.
당시 혼인을 하기 어려운 잉글랜드 젊은이들이 결혼식을 올리러 찾았던 곳으로 유명하다.

다. 다아시를 처음 본 베넷 부인이 그가 잘생겼다며 칭찬한 것은 바로 그의 재산 때문이었다. 그리고 빙리 씨를 향한 칭찬 역시 연 4천~5천 파운드에 달하는 수입과 직결되어 있다. 여성이 일을 한다는 것은 사회적으로 멸시받을 위험이 있었기 때문에(제인 페어펙스가 가정교사로 일하게 되자 사람들이 그녀를 어떻게 대하는지 생각해 보라!) 차라리 지참금을 투자해 그녀를 돌봐줄 만한 적당한 반려자를 고르는 편이 현명했다.

몇몇 가정―특히나 스스로 주변 사람들보다 더 혈통이 고귀하다고 여기는 레이디 캐서린 드 버그 같은 사람들―에서는 자녀의 배우자를 부모가 선택하는 관행을 고집했다. 당시에는 사촌 간 결혼을 금기시하지 않았기 때문에 고모와 삼촌들은 사촌 간 결혼이 가문의 재산을 지키는 효율적인 방법이라 여겼다. 이는 은행 계좌를 불리는 데에는 유용했을지 몰라도 유전자에는 안 좋은 관행이었다.

남녀 간의 애정으로 맺은 결혼의 가장 커다란 문제점은 여성의 결혼 적령기가 남성보다 더 낮아진다는 것이었다. 현명한 판단을 내리지 못하는 어린 여성이 구혼의 대상이 되곤 했던 것에서 볼 수 있듯이 말이다. 이는 또 다른 문제를 낳기도 했으니, 가난한 남성이 불타는 사랑을 호소하며 상당한 지참금을 지닌 여성에게 구혼하는 일이 잦아진 것이다. 위컴이 메리 킹에게 갑작스레 관심을 가진 이유가 바로 1만 파운드에 달하는 그녀의 지참금 때문이었던 것처럼 말이다. 결혼 사업을 성사시키기 위해, 많은 젊은 사기꾼들은 어린 여성들을 꾀어 영국 국경과 인접한 스코틀랜드의 그레트나 그린으로 야반도

주를 감행하곤 했다. 영국에서는 후견인 없이 미성년자의 결혼을 허락하지 않는 반면에, 스코틀랜드의 결혼법은 목사 없이 증인만 있으면 결혼을 성사시킬 정도로 굉장히 느슨했다. 그래서 합법적으로 결혼을 성취한 사기꾼은 영국으로 돌아와서 자신의 몫을 주장했다.

사기꾼에게 속아 넘어가지 않는다 하더라도 여성에게 다가오는 문제는 여전히 많았다. 남성을 매혹시킬 만큼 재능이 없다든지, 용모가 아름답지 않다든지, 혹은 부유하지 않다든지 하는 것들 말이다. 바로 샬롯 루카스가 이런 경우였다. 악기 연주와 그림, 외국어, 예의범절 따위를 배우는 것은 상류 계층 여성들의 특권이었다. 자신의 재치와 매력, 재능, 아름다움을 뽐내는 것 외에 여성이 할 일이 별로 없었기 때문이다.

헨리 틸니가 지적했듯이, 사실상 여성이 할 수 있는 일이란 청혼을 기다리다가 "예스", 혹은 "노"라고 대답하는 것이다. 좀 더 과감한 방법으로는 인도나 캐리비안 같이 영국 여성의 수가 적은 식민지에 가서 적당한 짝을 만날 수도 있다. 물론 이렇게 결혼하는 것을 탐탁찮게 여기는 사람들도 많았지만 종종 이루어졌던 일이고, 실제로 오스틴의 이모 필라델피아가 이런 식으로 결혼하기도 했다.

이런 결혼은 주변 사람들에게 여성이 지위에 어울리지 않는 결혼을 했다는 인식을 심어 주었고, 그 여성의 사회적 명성을 끌어내리기도 했다. 레이디 러셀이 아끼는 앤 엘리엇을 위해 웬트워스와의 결혼을 말린 것도 바로 이런 이유에서다. 물론 남성이 자신보다 지위가 낮은 여성과 결혼하는 것은 (거의) 완전히 허용된다. 드 버그 집안을 제외하고는 말이다.

오스틴의 소설에서 결혼이 이야기의 핵심이 되거나 전면적으로 등장하는 것은 아니다. 소설의 일부이기는 하지만 결혼 이야기가 소설 전체를 독식하지는 않는다. 데보라 카플란 같은 최근의 평론가들은 여성들 간의 우정에 관해 우리가 관심을 갖기만 한다면, 오스틴의 소설 속에서 결혼 이야기만큼이나 강렬하다는 것을 설득력 있게 보여 주었다. 엘리자베스 베넷과 가디너 부인, 앤 엘리엇과 레이디 러셀, 그리고 『오만과 편견』과 『이성과 감성』의 자매들을 생각해 보라.

하지만 중심 이야기와 연관성이 떨어져 보이는 것들을 가지치기한 영화들의 경우, 소설 속에서 결혼 이야기가 나오는 맥락이나 그 맥락을 표현하는 아기자기한 묘사들이 사라져 버리고 만다. 패니 프라이스의 엄마나 샬롯 루카스, 콜린스 씨나 웨스턴 부부처럼 부차적인 캐릭터들이 빠지면서 한 사건에서 다른 사건을 이어주는 장치가 사라진다. 한 남자를 만나고 그 남자랑 왜 결혼하는지에 대한 개연성이 사라져 버리는 것이다. 그 대신에 방해받는 연애—제인과 빙리, 앤 엘리엇과 웬트워스 대령, 해리엇과 로버트 마틴, 에드워드 페라즈와 엘리노어—와 비밀 약혼들이 등장한다(누가 비밀결혼을 했는지는 말하지 않겠다).

당시 전형적인 상류 계층 여성들에게 있어 결혼은 안락한 삶을 얻을 수 있는 유일한 방법이었던 것과 달리, 오스틴은 재산이나 후손을 얻기 위해 결혼해야 한다는 데 동의하지 않았다. 오스틴의 소설은 운 좋게 재산을 얻기 위해서가 아니라 사랑하기 때문에 결혼해야 한다는 생각이 점차 싹트기 시작한 사회적 분위기를 반영하고 있다.

그렇다. 베넷 부인이 제인을 마차가 아닌 말에 태워 네더필드로 보낸 것은 옳은 행동이었다. 어쨌든 긍정적인 결과가 나왔으니 말이다. 바로 다아시가 엘리자베스의 총명함을 알게 된 것이다. 물론 베넷 부인이 의도하지는 않은 일이었지만. "네더필드에 엘리자베스를 위한 일은 없어"라는 베넷 부인의 말은 틀리고 말았다. 베넷 부인은 이 결혼 이야기가 어떤 식으로 전개될지 전혀 감을 잡지 못했기 때문이다.

제인 오스틴 초상화

제인 오스틴은 어떻게 생겼을까? 우리는 오스틴의 조카들을 통해 그녀의 생애를 처음으로 '알게' 되면서, 그들이 묘사하는 대로 그녀를 '보게' 된다. 에드워드 오스틴 리에 따르면, 오스틴은 "키가 크고 날씬했다. 동그란 얼굴에 깨끗한 갈색 피부와 밝은 담갈색 눈동자를 지녔다. 갈색 곱슬머리를 깨끗이 이마 뒤로 넘기고 있었는데, 초튼에 살 때부터는 늘 모자를 쓰고 있었다. 조카들을 보러 런던에 갔을 때 그들의 성화에 못 이겨 잠시 벗었을 때를 빼고는."

그녀의 또 다른 조카 제임스 에드워드 오스틴은 말한다. "그녀는 아주 매력적인 사람이었다. 키가 크고 날씬했고, 발걸음이 가볍고 안정적이었으며, 온몸으로 건강함과 활기를 발산했다. 피부는 깨끗한 갈색 톤이었고, 뺨은 통통하고, 입술과 코는 작고, 아름다운 밝은 담갈색 눈과 얼굴을 타고 자연스럽게 흘러내리는 갈색 곱슬머리를 지녔다." 캐롤라인 오스틴은 다음과 같이 기억한다. "그녀의 얼굴은 내

언니 카산드라가 그린 제인 오스틴(1810년)

가 기억하는 얼굴 중 가장 예쁜 얼굴이었다. 가느다란 곱슬머리가 얼굴을 감쌌다. …… 얼굴은 길기보다는 둥글었다. 밝지만 핑크빛이 아니라 깨끗한 갈색 피부에 눈은 아름다운 담갈색이었다. 그녀는 늘 모자를 쓰고 있었다."(조카들은 어쩌면 이미 애디슨병 증상을 보이는 오스틴을 기억하고 있는지도 모른다. 애디슨병의 증상 중 하나가 바로 갈색 피부이기 때문이다. 만약 오스틴이 그 병으로 죽었다면 말이지만.)

카산드라가 그린 오스틴 스케치는, 오스틴 스타일로 말하자면 '본질적으로 아이러니하다.' 이 스케치는 우리가 그리는 오스틴의 모습과 닮았을까? 아니면 전혀 다른 것일까? 그녀는 수수한 옷을 입고 있고, 망설임 없는 눈길로 무언가를 응시한다. 그녀는 찡그리고 있는 것일까, 아니면 단지 웃지 않고 있는 것일까? 어떤 이들은 팔짱을 끼고 있는 자세나 얼굴 표정 등을 보고 오스틴이 "누군가와 말싸움하고 있는 것 같다"고 말했고, 다른 이들은 오스틴이 "거만하고" "빈정대고 있다"고 느꼈다. 그렇게 자신만만한 표정이 대체 뭐가 잘못되었다는 것인지?

빅토리아 여왕 시대의 사람들은 이런 이미지를 좀 더 부드럽게 만들 필요가 있다고 느끼고 새 시대에 알맞은 오스틴을 만들어 냈다. 1870년, 제임스 오스틴 리는 자신이 쓴 회고록의 표지를 위해 메이든헤드에 살고 있는 제임스 앤드류스James Andrews를 찾아갔다. 그는 앤드류스에게 "얼굴과 입술 선을 좀 부드럽게 하고, 드레스와 모자에 프릴을 달고, 가슴을 좀 더 풍만하게 그릴 것"을 요청했다(그가 빅토리아 시대에 '가슴'이라는 단어를 썼을지는 별개의 문제다). "아, 그래요. 팔짱 낀 손을 푸세요. 그리고 얼굴 표정도 좀 바꿔 보세요." 그리하여 오스틴은 카산드라가 그린 첫 스케치가 담고 있지 않은 여성성을 갖게 되었다. 이런 식으로 이미지에 요리조리 덧칠을 해서 그녀를 좀 더 바라보기 '편안한' 이미지로 바꾼다. 예쁜 곱슬머리 같은 걸 덧붙여서 말이다. 카산드라의 스케치에 그려진 자신만만하고 다소 거만

빅토리아 시대에 제임스 앤드류스가 새로 그린 제인 오스틴 초상화

해 보이는 오스틴을 좀 더 여성스러운 오스틴으로 대체한 것이다. 아마도 사람들은 이런 오스틴을 원할 것이다. 아니면, 적어도 오스틴의 이미지를 파는 사람들은 이런 이미지를 원할 것이다. 가방에, 우산에, 자동차 범퍼 스티커에 붙어 있는 오스틴은 바로 이런 오스틴이다.

소설가 오스틴이 우리가 평소 느끼는 감정들을 너무나 세심하게 그려 내기 때문에 독자들은 오스틴에게서 같이 차라도 한잔 마시고 싶은 이모나 고모의 모습을 기대하고 있는지도 모른다. 또 어쩌면 오스틴의 조카들과 함께 빅토리아 시대의 감성을 느끼고 싶은 것인지도 모른다. 부드러운 제인 오스틴이라면 우리를 이해할 수 있다는 식으로 말이다.

최근에 오스틴을 그려 내려는 새로운 시도들이 생겨나고 있다. 그녀는 〈비커밍 제인〉이나 〈오스틴 양의 후회 Miss Austen Regrets〉에 출연했던 앤 해서웨이나 올리비아 윌리엄스를 닮은 것일까? 〈비커밍 제인〉을 쓴 존 스펜스 Jon Spence 마저도 카산드라가 그린 오스틴 초상에 거부감을 나타낸다. "카산드라의 초상화로 인해 오스틴의 이미지가 무미건조하고 투박한 노처녀로 굳어진 것 같다. 카산드라가 그린 오스틴의 이미지가 너무 강력해서 어린 시절부터 그녀를 알아온 사람들의 말(예컨대, 예쁘지만 볼이 너무 통통하다든가)은 그 이미지를 바꾸는 데 아무런 영향을 끼치지 못한다." 물론 그는 톰 르프로이를 향한 사랑을 간직하고 있던 제인 오스틴, 21세기 앤 해서웨이로 재현되는 제인 오스틴의 이미지를 믿고 싶을 것이다. 하지만 에밀리 아우어바흐가 지적하듯이, 존 스펜스의 불평은 엘리자베스 베넷에 대한 빙리 양의 불평을 떠올리게 한다. "아무리 봐도 나는 그녀가 예쁜지 모르겠어. 얼굴이 너무 말랐고 피부에는 광채가 하나도 없어. 그리고 생김새가 전혀 예쁘지 않아. 코는 좀 더 높아야 하고……. 눈은 좀 예쁘달 수 있겠지만, 뭐 아주 특별나게 아름다운 건 아니야. 눈매가 아주 날카로워서 나는 도무지 그 눈을 좋아할 수가 없어. 헤어스타일은 또 어떻고. 유행은 전혀 신경 안 쓰는 정말 제멋대로의 머리지."

존 윌트셔가 자신의 책에 이름 붙인 『오스틴 다시 만들기』는 오스틴 소설을 영화로 옮기는 것뿐 아니라, 이 시대의 독자들이 오스

톰 클리포드가 그린 '초튼 정원에 있는 제인 오스틴'

틴 소설을 읽으면서 그녀가 어떤 사람인지 되살리는 것이다. 초상화가이자 FBI에서 법 초상화 교육을 받은 멜리사 드링Melissa Dring이 법의학 기술을 동원해 오스틴의 실제 생김새를 추측하는 데 도전했다. 오스틴은 걸작을 썼다는 죄로 초상화가 복원되는 수모(?)를 겪었다. 대서양 건너편의 톰 클리포드Tom Clifford 역시 카산드라의 초상화에 기초해 오스틴을 그려 내려는 시도를 했다. 그는 오스틴 일가의 초상화들을 보고 카산드라의 그림과 오스틴의 형제자매들이 서로 닮은 점을

켈리 게쉬가 그린 제인 오스틴

발견했다. 그는 "내가 생각하는 제인 오스틴의 현대 인상주의적 초상화"를 그리기로 마음먹고, 앨톤 근처 초튼의 오스틴 집 서쪽 정원에 있는 그녀의 모습을 그렸다.

심지어 이 책의 저자인 우리들도 때때로 오스틴을 그리곤 한다. 카산드라가 1804년에 오스틴을 그린 수채화에서, 오스틴은 야외에서 보닛 모자를 쓰고 우리에게 등을 돌린 채 앉아 있다. 우리는 오스틴이 보닛 모자를 계속 쓰고 있었으면 한다. 오스틴의 표정이 어떤지는 중요하지 않기 때문이다. 우리는 그녀를 책상에 앉혀 책을 읽게 할 수도 있고…… 그냥 길 위에 서 있는 모습은 어떨까? 오스틴은 어느 특정한 곳에 있는 것이 아니다. 오스틴은 실체가 없이 어딘가에서 불쑥 다가오며 자신이 알려지길 원하지 않는다. 오스틴은 우리 상상력 속에 존재하고, 우리 모두는 그녀를 계속 재창조할 수밖에 없다는 것을 기억해야 한다.

오스틴이 묻힌 윈체스터 성당

알버타 버크가 『이성과 감성』의 1811년 초판에 붙인 장서표에는 윈체스터 성당이 그려져 있다. 알버타 버크와 그녀의 남편 헨리는 한평생 오스틴의 희귀한 소설본들과 오스틴의 삶과 그 시대에 관한 책들, 기타 오스틴 관련 서적들을 모았다. 가우처 칼리지는 1975년 자신의 수집품들을 모교에 기증하겠다는 버크 부인의 유언에 따라 제인 오스틴 컬렉션을 소장하게 되었다. 헨리와 알버타 허쉬 하이머 버크 컬렉션, 가우처 칼리지 도서관

제인 오스틴은 1817년 7월 18일 오전 4시 30분에 사망했다. "그녀가 마지막 숨을 거둘 때" 카산드라가 자리를 지켰다. 카산드라는 조카 패니에게 보내는 편지에서 자신이 오스틴의 눈을 직접 감겼으며 그 일을 할 수 있음에 얼마나 감사함을 느꼈는지를 감동적으로 서술한다. 카산드라는 이어서 장례식을 어떻게 치를지에 관해 이야기한다. "이 마지막 의식이 목요일 아침에 치러질 거다. 네 이모의 시신은 성당에 모셔질 거야. 제인이 그렇게 찬미하던 바로

그 건물에 시신을 눕힐 수 있어서 정말이지 감사하구나. 물론 그녀의 귀한 영혼은 더 좋은 곳에서 안식하겠지."

7월 24일, 카산드라는 문상객들이 집을 떠나는 소리를 듣기 위해 방에 자리를 잡고 앉았다. "모든 일이 아주 조용하게 잘 치러졌단다. 그래도 나는 마지막까지 봐야겠다고 생각했는데, 결국 차마 보진 못하고 소리로만 들었어. 그들이 언제 집을 떠났는지 나는 모르는 편이 나았을 것 같아." 카산드라는 장례식에 가지 않았기 때문에 오스틴의 관이 집을 떠날 때 가만히 지켜봐야만 했다. 『오스틴의 모든 것』에서 크리스틴 올슨은 "노처녀"가 죽으면 흰 옷을 입은 여성들이 관을 메고 나가는 것이 전통이라고 설명하지만 여기서는 지켜지지 않은 것으로 보인다. 그 대신에 카산드라는 그들이 함께 살던 집에 계속 머물러 있었던 것이다. "나는 그 슬픈 행렬이 거리에 길게 늘어지는 걸 지켜보았어. 행렬이 모퉁이를 지나 더 이상 보이지 않게 되었을 때, 나는 제인을 영원히 잃어버렸지. 그때에도 나는 기력을 잃지 않았고, 제인을 잃은 상실감에 흔들리는 것도 지금 이 편지를 쓰고 있는 순간만큼은 아니었어."

문상객들은 오스틴이 묻힐 원체스터 성당으로 향했다. 원체스터 성당은 아주 아주 오래된 건물이다. 이 성당의 원형은 '고ㅎ 성당'으로 지금은 사라지고 없다. 노르만 양식의 교회 건물이었던 '고 성당'은 그 역사가 색슨 시대인 648년 근처까지 거슬러 올라간다. 9세기 중반, 당시 원체스터 주교를 지낸 성 스위딘St. Swithin이 고 성당 근처에 묻혔다. 1079년 월켈린 주교Bishop Walkelin 시설 새로운 싱딩 긴물을 짓기 시작했고, 1093년 성 스위딘 주교의 유해는 완공된 새 성당 건물 근처로 이장된다. 그해 7월 15일, 낡은 성당은 철거되었다. 옛 건물 터는 새로 지은 성당 옆 공터에 남아 있다.

이 성당에는 수도승과 왕, 성인들이 묻혀 있으며, 1194년 리처드 1세의 즉위식이 여기에서 거행되었고, 1401년에는 헨리 4세의 결혼식이, 1554년에는 메리 여왕의 결혼식이 열렸다. 오스틴은 어떻게 이토록 대단한 장소에 묻힐 수 있었을까? 물론 지금에야 오스틴이 이만큼 유명하지만 살아있을 때의 명성은 그녀가 왕족들과 나란히 묻힐 수 있을 정도로 대단하지 않았는데 말이다.

여기에는 여러 추측들이 존재한다. 먼저, 오스틴이 성당 구내(수도승들이 살던 곳)에서 죽었기 때문에 성당 묘지에 묻힐 자격을 얻었다는 가설이 있다. 물론 제인 오스틴 학회 호주 지부의 폴 헤닝햄Paul Heningham이 지적하듯, 많은 일반인들이 성당 구내에서 죽었지만 이렇게 특별한 대접을 받은 사람은 없었다. 더욱이 칼리지 스트리트 8번가는 성당 구내가 아니다.

좀 더 그럴싸한 가설은 오스틴과 카산드라의 평생지기인 엘리자베스 히스코트Elizabeth Heathcote가 장례와 관련한 일을 도맡아 처리했을 거라는 점이다. 히스코트 부인은 남편이 죽은 뒤 성당 구내로 이사를 했고, 윈체스터 성당의 사제장과 친분을 갖게 되었다. 물론 사제장은 묘지와 관련해 결정권을 가지고 있는 자리다.

또 다른 이야기로는 헨리와 제임스 오스틴이 사제장을 설득해서 오스틴이 성당에 묻힐 수 있도록 했거나, 아니면 오스틴의 아버지가 목사였다는 사실과 연관이 있을 수도 있다는 것 등이 있다. 불행히도 그 어느 주장도 결정적이지는 못하다. 단지 운이 좋았을 뿐이거나, 아니면 사제장이 남모르게 『오만과 편견』을 좋아했는지도 모를 일이다.

소설가 오스틴

제인 오스틴은 위대한 소설가였다. 우리는 제인 오스틴을 우리의 베스트 프렌드라고 생각할 수도 있다. 오스틴이 우리 내면의 감정을 너무나도 잘 이해하고 있으므로. 하지만 그녀가 그럴 수 있었던 것은 위대한 소설가였기 때문이다. 우리가 그녀의 소설을 각색한 많은 영화와 미니시리즈를 즐길 수 있는 것도 어쩌면 그녀가 감독, 극작가, 그리고 배우들 모두를 매혹시킬 만큼 위대한 작기였기 때문이다. 오스틴에게 매혹된 그들은 오스틴을 재창조하고, 재발명하고, 모방하고, 뒤집어 놓고 싶어 한다. 하지만 소설은 디딤판에 불과하다. 우리는 오스틴의 전기에서 소설을 찾을 수 있다고, 혹은 소설에서 그녀의 전기를 발견할 수 있다고 생각할 수도 있지만, 사실 이런 생각은 우리 스스로 속이는 것이다. 우리는 그녀를 알고 있다고 생각하지만 사실 우리가 아는 것은 오스틴이 아니라 그녀의 소설인 것이다. 또 다시, 그 이유는 그녀가 위대한 소설가이기 때문이다.

소설가 오스틴에 관한 많은 잘못된 신화를 만들어 낸 인물로 자주 거론되는 사람은 그녀의 오빠 헨리다. 즉, 오스틴이 명성이나 돈을 위해서가 아니라 그저 오락거리로 글을 썼다는 설이 바로 그것이다. "그녀가 고통스러울 정도로 철저하게 원고를 수정해 나간 것은 완벽을 기하는 전문가적 기질 때문이 아니라 자신의 판단을 믿지 못하는 여성적 겸손함에서 비롯한 것이다." 자신의 누이가 무엇을 성취해 내었는지를 이해하지 못하는 남자 형제를 상상해 보라. 좀 무섭기까지 하지 않은가? 헨리는 오스틴을 어떤 '일반적 유형'에 끼워 맞추려 했지만 그녀의 소설은 그의 생각이 틀렸음을 반증하고 있다.

소설가 유도라 웰티Eudora Welty는 오스틴을 "소설을 하나의 예술작품으로 보고" 소설 쓰기에 "온 집중을 다해 헌신한" "무척 의식이 강한 소설가"로 묘사한다. 오스틴의 작가적 완벽주의를 희석시키려 한 헨리에 반론을 제기한 사람은 웰티만이 아니었다.

물론 헨리는 우리가 모르는 다른 것들을 알고 있다. 오스틴은 11세 때부터 글을 써왔다. 오스틴은 10대 시절에는 재미를 위해서 글을 썼다. 그녀는 풍자와 희화적인 글을 썼고, 꽤나 폭력적인 요소를 포함한 작품 영역을 실험하기도 했다. 오스틴은 이 세상에서 여성의 불안정한 지위를 잘 알고 있었다. 그녀는 쓰고 있던, 혹은 막 끝마친 작품을 옆으로 밀어 두고는, 세상을 둘러본 뒤 새로운 눈으로 다시 작품을 손보곤 했다. 그녀는 다른 사람이 자신의 플롯이나 캐릭터 이름을 도용할 수도 있다는 것을 경험을 통해 깨닫고는 작품 제목이나 여러 가지 사실들을 비밀에 부치기도 했다. 그녀는 출판을 거절당했다고 좌절하지도 않았고(1797년), 출판업자의 문제로 책이 출판되지 않는 일이 벌어진다고 좌절하지도 않았다(1803년). 그녀는 계속해서 작품을 썼다. 그녀는 소설의 여러 실험적인 형식에 도전했다. 출판업자가 10파운드를 주지 않으면 작품을 출판하지도 원고를 돌려주지도 않겠다고 말했을 때에도(1809년) 그녀는 계속해서 작품을 써나갔다. 결국 자신을 죽음으로 몰아넣은 병을 앓을 때에조차 말이다.

한번 출판이 되면 그녀는 다른 사람에게 편지를 써서 자신의 수입을 말해 주었다. 그녀는 사람들이 자신의 책을 빌려 읽었을 때보다 샀을 때 더 행복해했다. 그녀는 작품을 고치고, 큰 소리로 읽고, 옆으로 밀어 넣고, 다시 손을 봤다. 오스틴이야말로 진지한 작가의 진정한 모범이다. 그녀는 자신이 하고자 하는 이야기를 조심스럽게 구성했다.

오스틴은 자기 작품을 가족들에게 읽어주곤 했다. 그리고 그들이 즐거워한다는 사실에 행복해했다. 하지만 그녀는 동시에 창조적 작가로서의 자아를 발전시켜 나갔다. 그녀는 가족을 즐겁게 하기 위해서가 아니라 자아를 만족시키기 위해 작가로서 삶의 목표를 가진 것이다. 캐스린 서덜랜드는 오스틴이 "창조적 판단의 더 큰 독립을 향해" 나아가고 있다고 믿는다.

헨리는 또한 오스틴이 자신이 아는 것에 관해서만 썼다고 주장한다. 하지만 사실 그녀는 훨씬 더 많은 것을 알고 있었다. 그녀가 삶 속에서 경험한 일들만 해도 다음과 같다.

● 가게에서 물건을 훔친 죄로 체포되어 감옥에서 몇 달간 갇혀 있던 숙모

- 길로틴에서 처형당한 친척
- 추악한 짓을 저지른 이웃들
- 배에서 아이를 낳다 죽은 올케

하지만 그녀는 한두 번의 자동차 사고로 모든 것이 해결되는 멜로드라마 같은 것은 결코 쓰지 않기로 선택했다.

근대 소설의 창조자

제인 오스틴의 등장은 새로운 소설의 시대를 열었다. 그녀는 당대의 소설들을 읽었고 그 소설들이 성취한 것들을 잘 알고 있었다. 하지만 천재 오스틴은 이전 소설들이 하지 못했던 것을 성취해 냈다. 소설가 캐롤 쉴즈는 이렇게 말한다. "오스틴은 불안하게 기우뚱거리던, 자기 자신을 응시할 수 없었던 18세기 소설을 다시 고안해 안정시켰다고 할 수 있다. 그리고 그것을 근대적 형태로 만들어 냈다."

오스틴의 특별한 성취는 무엇인가?

- 오스틴이 창조한 인물은 이전 소설보다 훨씬 더 섬세하고 깊이가 있다.
- 오스틴 소설은 이전 소설보다 더 진지한 도덕적 시각을 갖는다. 이전 소설들이 모두 풍자적이었다면 오스틴 소설은 좀 더 깊이가 있다.
- 오스틴은 훌륭한 스타일리스트였다. 이것이야말로 오스틴이 가장 지대하게 공헌한 부분이다. 역사적으로 볼 때 오스틴만큼 우아하고 세련되게 영어를 구사한 작가는 거의 없다.

- 오스틴 소설을 걸작으로 만드는 것은 마치 아름다운 건축물과 같은 구조다. 오스틴 소설의 구조는 마치 모차르트의 곡에서 볼 수 있는 것처럼 완벽하게 균형 잡혀 있다.

이러한 성취에 덧붙여서, '자유 간접 스타일'을 또 하나의 성취로 꼽을 수 있다. 직접적으로 인용하는 대신에 간접적으로 인용함으로써 좀 더 아이러니한 시각을 나타낸다. 자유 간접 화법은 소설에서 일반적으로 사용된다. 그것은 아이러니한 느낌, 혹은 풍자적 느낌, 혹은 대화를 엿들은 것 같은 느낌을 준다. 오스틴의 위대한 특징 중 하나가 바로 사회적 아이러니다. 자유 간접 화법이야말로 이런 아이러니를 가능하게 한다.

그녀는 어떻게 이것이 가능했을까? 오스틴이 조카인 애나에게 당시 애나가 쓰고 있던 소설에 관해 논평한 편지는 그녀가 글쓰기를 어떻게 생각하는지 보여 준다. 그녀는 애니에게 이렇게 충고한다.

- 여주인공의 행동이 일관되어야 한다.
- 말을 너무 많이 하지 말라. "의미는 적은 말로도 잘 표현될 수 있다."
- 사실적으로 써라. 아일랜드에 가본 적이 없으면 거기에 대해 써서는 안 된다. "거짓된 표현을 할 위험에 빠진다."
- 너무 많은 묘사를 하지 않도록 주의해야 한다. 오스틴은 편지에 썼다. "너의 묘사는 종종 지나치게 세밀해. 너는 이것저것에 관해 너무 많은 말을 하더구나."

- 네 원고를 다시 손봐라.
- 진부한 표현을 쓰지 않도록 하라. "허영 때문에 데베룩스 포레스터가 파멸하는 것은 아주 좋은 이야기야. 하지만 그를 '방탕의 소용돌이'에 내던지지는 말거라. 그러는 것 자체를 반대하지는 않지만 나는 그 '방탕의 소용돌이' 같은 표현들을 견딜 수가 없구나. 그런 것들은 소설만 열면 마주치는 아주 낡아빠진 어구들이야. 아마 아담도 첫 소설에서 그런 표현을 읽었을 걸."

출판의 계보학

『이성과 감성』의 앞표지에는 저자가 '어느 여성BY A LADY'이라고 명시되어 있다. 이후 오스틴은 '저자'를 제외하고는 그 어떤 이름도 쓰지 않았다. 오스틴은 자신이 저자라는 사실을 아주 자랑스러워했다. 예를 들어 『오만과 편견』은 『이성과 감성』의 저자 씀'이라고 알리고 있다. 세 번째 책 『맨스필드 파크』에서는 이 소설이 『이성과 감성』과 『오만과 편견』의 저자에 의해 쓰였다고 밝혔다. 오스틴은 책을 내면서 얻은 명성만으로 이후에 출간되는 책들을 문학사에서 한 자리 차지할 수 있게 한 권위 있는 작가가 되었다. 그리고 독자들이 지금 읽고 있는 책에 만족하며 이전에 출간된 오스틴의 다른 책을 사게 하는 네임 밸류를 가진 작가이기도 하다.

지금 이 책을 읽는 독자들에게 오스틴의 책을 읽으라고 권유할 필요는 없을 것이다. 아마도 이 책을 읽고 있는 독자는 이미 오스틴의 소설들을 읽은 사람들일 것이기 때문이다. 하지만 만약 당신이 오스틴 소설을 읽은 적이 없다면 우리는 진심으로 오스틴 소설을 읽을 것을 권한다. 이 위대한 소설가의 책을 읽으라. 책을 읽는 것은 아마 당신이 영화를 볼 때보다 훨씬 더 강도 높은 집중을 요하는 일이 겠지만 충분히 그럴 만한 가치가 있다. 시간을 충분히 갖고 집중해서 세세히 읽어 보라.

그러면 아마도 왜 그렇게나 많은 사람들이 오스틴을 사랑하는지 알게 될 것이다. 유감스럽게도 영화에서는 오스틴의 가장 중요한 부분, 오로지 언어로만 표현할 수 있는 중요한 뭔가가 빠져 있다. 마치 시를 다른 언어로 번역할 수는 있지만 그렇게 하면 시 자체가 사라지는 것과 똑같다. 마찬가지로 오스틴을 영화로 옮길 수는 있지만 그렇게 하면 오스틴은 사라져 버린다. 영화는 이야기와 인물을 충실하게 재현할 수는 있다. 하지만 오스틴 소설에서 가장 가치 있는 것, 즉 오스틴의 글은 사라져 버린다. 이 책의 서두에서 말했듯이, 오스틴을 침대 머리맡에, 욕조 기까이에, 그리고 소파 가까이에 놓고 읽어라.

제인 오스틴 능력시험

◆ 진실 혹은 거짓 ◆

1. 오스틴은 '리처드'라는 이름을 좋아하지 않았다.

2. 오스틴은 우리가 싫어하게끔 만든 인물들의
   입을 통해서만 페미니즘적 발언을 하도록 했다.

3. 몇몇 영화 팬들은 〈이성과 감성〉이 〈덤 앤 더머〉의
   후속작이라 생각하고 영화를 보러 간다.

4. 오스틴 소설에는 여성들 없이 남성들만 등장하는
   장면은 나오지 않는다.

5. 오스틴 소설에서 극적인 일이 자주 등장하는
   요일은 화요일이다.

6. 이 수학문제를 풀기 위한 전제는 다음과 같다. 페티코트의 넓이는 6인치이고, 엘리자베스가 네더필드에 앓아누워 있는 제인을 찾아가기 위해 1초당 3피트의 속도로 걸어가고 비가 올 확률은 50퍼센트다. 진흙이 묻는 양이 2y이고 페티코트의 길이가 상수라면, 네더필드에 도착했을 때 그녀의 눈은 얼마나 아름다울까?

     a. 정말로 아름답다!

     b. 운동을 해서 밝게 빛난다.

     c. 찬사를 받을 만큼 아름답다.

     d. 형편없다. 예의범절을 완전 무시하는 것만큼이나.

7. 웬트워스 대령이 재산을 어떻게 모았을지 계산하는 수학공식을 만드시오. a는 적군의 군함을 포획해서 받은 상금, b는 해군 제독이 근처에 없을 때 적의 군함을 포획해서 받은 상금, c는 적의 함대를 포획해서 받은 상금이다. 공식을 만들기 위해서, 적의 군함을 포획해서 받은 상금에 대해 대령은 ¼을 받을 수 있고, 만약 제독이 없었다면 ⅜을 받을 수 있다. 만약 적군의 함대를 포획한다면 더 많은 상금을 받을 수 있다. 대략 15퍼센트가 각종 비용으로 차감된다.

8. 다음의 인물들을 연 수입에 따라 순위를 매기시오.

     헨리 크로포드   웬트워스 대령

     브랜든 대령   다아시

     윌로비   빙리   베넷 씨

     존 대시우드(노어랜드 영지에서 얻는 수입만)   러시워스

9. 재산의 순서대로 순위를 매기시오.

킹 양   어거스타 호킨스

모튼 양   캐롤라인 빙리

그레이 양   우드하우스 양(엠마)

마리아 워드   조지아나 다아시

엘리노어, 마리안느, 마가렛, 그리고 대시우드 부인

10. 다음은 소설에서 편지를 쓴 적이 있다고 언급된 사람들의 목록이다.
    편지를 가장 많이 쓴 순서대로 순위를 매기시오.

리디아 베넷   레이디 캐서린

다아시   조지아나 다아시

엘리자베스 베넷   캐롤라인 빙리

가디너 부인   가디너 씨

제인 베넷   포스터 대령

베넷 씨   베넷 부인

샬롯 루카스   콜린스 씨

11. 이름이 수학 등식의 형태로 되어 있는 여주인공은 누구인가?

12. 엘리자베스가 피츠윌리엄 대령에게 다아시가 메리톤에서 추었다고 말한
    춤의 전체 수에서 실제로 다아시가 춘 춤의 수를 빼시오.

13. 제인 베넷 : 엘리노어 대시우드 = 리디아 :

14. 콜린스 : 엘튼 = 다아시 :

15. 엘리자베스와 다아시가 참석한 루카스의 집에서
    열린 댄스 모임 : 빙리 홀 = 콜린스 목사관 :

• 연결하기 •

16. 다음 각 인물들과 동물(들)을 연결하시오.

러시워스 부인 ●	● 뉴펀들랜드 강아지와 3마리의 테리어들
패니 프라이스 ●	● 칠면조들
헨리 틸니 ●	● 꿩
웨스턴 부인 ●	● 퍼그 종 개
샬롯 루카스 ●	● 늙은 그레이 포니
샬롯 팔머 ●	● 포인터 종 개
레이디 버트램 ●	● 가금류
윌로비 ●	● 암탉들

17. 다음 배우들과 감독들 중 연기/연출을 하기 전에 원작소설을 읽은 사람은 누구인가?

    a) 이 앙 (1995년 〈이성과 감성〉의 감독)

    b) 콜린 퍼스 (1995년 BBC 〈오만과 편견〉의 다아시 역)

c) 이완 맥그리거 (1996년 더글러스 맥그래스 감독의 〈엠마〉에서 프랭크 처칠 역)

d) 모두 다

d) 모두 아님

18. 『엠마』에서 사과나무는 (실제와 달리) 몇 월에 꽃이 피는가?

    a) 4월 b) 5월 c) 6월 d) 7월 e) 8월

19. 『엠마』에서 엠마를 제외하고 랜달스와 하트필드, 그리고 코울스 씨 집에서 열리는 세 번
의 디너파티에 모두 참석하는 두 인물이 있다.

    (1) 그들은 누구인가?

    (2) 두 번의 만찬에 참여하는 인물들은 누구인가? (4명)

    (3) 한 번 참석하는 인물들은 누구인가? (6명)

20. 주요 인물들 중 세례명이 없는 인물들은?

21. 가디너 부부의 아이들은 크리스마스 때 왜 부모와 함께 롱번에 오지 않았는가? 그 다음
해 3월 엘리자베스가 그곳에 도착했을 때, 엘리자베스가 사촌들을 1년 만에 만났다고
서술되어 있다.

제인 오스틴 능력시험에 대한 답은 263쪽에 있다.

제인추종자란 누구인가?

당신은 제인추종자가 될 수 있는가?

- 제인 오스틴 능력 시험의 점수가 당신의 오스틴 읽기 수준을 결정한다.

1~5개의 문제를 맞혔다면 당신의 점수는 1점이다.

6~10개의 문제를 맞혔다면 당신의 점수는 2점이다.

11~15개의 문제를 맞혔다면 당신의 점수는 3점이다.

16~20개의 문제를 맞혔다면 당신의 점수는 4점이다.

21~25개의 문제를 맞혔다면 당신의 점수는 5점이다.

26~30개의 문제를 맞혔다면 당신의 점수는 6점이다.

- 당신의 오스틴 능력은 몇 점인가?

1점. 해리엇 스미스

『엠마』의 스미스 양처럼 당신도 쉽게 교육받을 수 있다.* 당신은 오스틴의 소설들을 좋아하지만 실제로는 오스틴 사제의 신도가 되지 못했다. 곧 어느 누군가 당신을 인도할 것이다.

> * 해리엇의 성 Smith와 제련한다는 뜻의 smith가 같은 단어인 것을 이용한 말장난

2점. 캐서린 '모어'랜드와 엠마 '우드하우스

소설의 줄거리는 꽤 잘 파악하고 있지만 흔히들 아는 정도의 일반적인 내용만 알 뿐 세세한 것까지 알고 있지는 못하다. 심지어 내용을 잘못 이해하고 있을 수도 있다. 당

신은 '좀 더(more)' 읽어야 한다. 그럼에도 당신은 다른 사람들에게 오스틴을 좀 읽으라고 '조를(woo)' 정도는 된다. 당신은 '완벽'이라는 단어를 쓸 줄 아는가?

3점. '마리'안느 대시우드

당신은 기회만 있다면 주인공(혹은 여주인공)과 '결혼(marry→mari)'할 것이다. 당신은 그들을 너무나 잘 알고 있다. 오스틴에 관한 한 열정적이고 박식하지만 아직 세상 이치에는 조금 서투르다. 불꽃같은 젊음에 대해 당신은 무엇을 기대하는가?

4점. 엘리노어 '대시'우드와 '앤' 엘리엇

아주 박식한 당신은 오스틴의 여섯 대표작에 관한 한 남들을 가르치려고 '달려들(dash)'만큼 박식하고, 혹시 그 대작들에 관해 잘못 알고 있는 건 없는지, 초기작들 중에 놓친 것은 없는지 근심스러워('anne'-xious)한다. 서둘러서 더 많은 책들을 읽으라.

5점. '나이틀'리 씨

오스틴의 호위 '무사(knight)'로서 당신은 모든 비판자들로부터 인물들을 옹호하고 오스틴의 작품들을 보호한다. 당신은 작품을 제대로 읽은 사람이며 굉장히 지혜로운 사람이다.

6점. 제인추종자

모든 작품, 심지어 초기작의 모든 이야기들까지 꿰뚫고 있는 당신이야말로 진정한 고수다. 많은 이들이 믿는 바, 당신은 제인 오스틴의 환생이라고 해도 될 정도다. 혹시 『오만과 편견』의 '진짜' 후속편을 쓸 생각은 없는지?

만일 제인 오스틴이 남자였다면

● 그는 아마 오스틴이라 불렸을 것이다.

● 오스틴 팬들은 아마 '제인추종자'가 아니라 '오스틴추종자', 아니면 '오스틴주의자'라고 불렸을 것이다.

● 그가 결혼하지 않은 사실이 그렇게 사람들 입에 오르내리지는 않았을 것이다. 왜냐하면 사람들은 그가 일에 너무 전념했기 때문이라거나, 종종 위대한 작가들의 독신 이유로 거론하는 거창한 이론들을 근거로 그를 인정해 버렸을 것이기 때문이다.

● 그는 아마도 자신이 무슨 일을 하고 있는지 모르는 자의식 없는 작가로 그려지지는 않았을 것이다.

● 『노생거 사원』에서 남자 형제들이 좀 더 다정하게 그려졌을 것이다.

● 그는 아마도 돈이 없는 독신 여성에 관해 별다른 관심을 두지 않았을 것이다.

● 1년에 500파운드로 살아가는 『이성과 감성』의 여성들과 같은 삶을 살지는 않았을 것이다(1805년 이후에 제인 오스틴과 카산드라, 그리고 오스틴의 어머니는 1년에 460파운드로 생활했다).

● 작은 상아 조각에 관한 그의 언급은 아마도 아이러니로 여겨졌을 것이다.

● 그가 죽은 뒤, 그의 가족들이 황급히 그의 경건함과 신실한 믿음을 강조하지는 않았을 것이다.

● "어느 여성 씀"과 같은 익명으로 작품을 출간하지는 않았을 것이다.

● 그가 죽기 전에 작품에 이름이 붙었을 것이다.

- 자기 이름을 내걸고 출판업자들과 당당히 협상했을 것이다.

- 그는 아마도 편지를 좀 덜 썼을 것이다. 편지 쓰기는 여성의 일이라고 여겨졌기 때문이다.

- 하지만 그의 누이는 아마도 그의 편지를 더 많이 없애 버렸을 것이다.

- 그는 아마도 여성 사이의 우정이란 것을 알지도 못하고 그에 관해 쓰지도 않았을 것이다.

- 그는 자신이 창조한 세상에서조차 소외받지는 않았을 것이다(브랜든 대령이나 나이틀리 씨 같은 나이든 독신남의 처지를 베이츠 양이나 낸시 스틸과 같은 노처녀의 처지와 비교해 보라).

- 그는 정치적 주제를 독특한 방식으로 논한 작가라는 평가를 받았을 것이다. 예를 들어 전쟁이 민간생활에 미치는 영향이라든지(오만과 편견), 전쟁과 전쟁 사이의 짧은 휴지기(설득), 영국에 식민지가 미치는 영향(맨스필드 파크) 같은 것들 말이다.

- 19세기 문학에 관한 정보를 제공하는 책들에 『제인 오스틴이 먹은 것과 찰스 디킨즈가 알았던 것 What Jane Austen Ate and Charles Dickens Knew』 같은 제목이 붙지는 않았을 것이다. 그 대신에 아마도 『제인 오스틴이 썼던 것과 찰스 디킨즈가 알았던 것』과 같은 제목이 붙었을 것이다.

- 그는 아마도 전문 화가가 그린 초상화를 연대별로 몇 개 가지고 있었을 것이다. 적어도 그의 자매가 연필과 수채화로 그린 단 한 장의 초상화만 있지는 않았을 것이다.

- 그는 아마도 노처녀가 쓰는 모브캡* 대신에 아주 멋진 모자를 가지고 있었을 것이다.

- 그는 아마도 프랭크나 찰스처럼 왕립 해군에 들어갔을 것이다. 물론 그랬다면 소설을 써보기도 전에 전사했을 수도 있겠다.

- 윈체스터 성당에 있는 묘지에는 그의 작품 활동에 관한 모든 것이 기록되어 있을 것이다. 그리고 그 옆에는 실제 크기의 오스틴 동상이 서 있을 것이다.

* mobcap. 18~19세기에 유행한
  실내용 여성 모자

제인 오스틴
능력시험 정답

• 진실 혹은 거짓 •

1. **진실.** 오스틴은 몇 가지 이유로 '리처드'라는 이름을 싫어했다. 『노생거 사원』에서 캐서린의 아버지는 "무시당하거나 가난하지 않은, 그리고 매우 존경할 만한 목사였다. 비록 그의 이름은 리처드였지만."이라고 말한다. 그리고 『설득』에서 유일하게 죽음을 맞이하는 아이는 바로 "불쌍한 리처드" 머스그로브였다. 이것이 벤자민 프랭클린의 『불쌍한 리처드의 연대기』Poor Richard's Almanac』에 대한 암시인지, 아니면 『노생거 사원』을 출간해 주지 않은 출판업자에 대한 암시인지, 알 길은 없다.

2. **거짓.** 오스틴은 우리가 싫어할 만한 인물들을 통해서만 페미니즘적인 발언을 하지는 않았다. 『오만과 편견』에서 레이디 캐서린이 한정 상속과 관련한 페미니즘적인 발언을 하고, 『엠마』에서는 속물인 엘튼 부인이 페미니즘적인 발언을 하기는 하지만, 『노생거 사원』이나 『설득』과 같은 다른 작품들에서는 좀 더 긍정적인 인물들이 페미니즘적인 통찰이 빛나는 발언을 한다. 예를 들어 캐서린 모어랜드는 역사에 관해 다음과 같이 말한다. "나는 의무감에서 역사를 조금 읽었지요. 하지만 늘 짜증나고 지겨워요. 황제와 왕들의 말다툼, 전쟁이나 전염병 등이 페이지마다 등장하지요. 남자들은 별 것 아닌 것으로 칭송받고 여자들은 거의 언급되지도 않아요. 정말 따분해요. 나는 종종 역사책이 왜 그렇게 재미없어야 하는지 이해할 수가 없어요. 사실 역사책에 등장하는 대부분의 것들은 다 만들어 낸 거잖아요."『설득』에서 앤 엘리엇은 하빌에게 경고한다. "가능하면 책에 나오는 예는 참조하지 마세요. 예로부터 남자들은 책을 통해 자신들의 이야기를 할 수 있는 특권을 자기들끼리만 누려 왔지요. 교육 역시 남자들의 것이잖아요. 특히 아주 높은 수준의 교육 말이에요. 펜은 항상 남자들 손에 쥐어져 있었지요. 그래서 나는 책을 통해 뭔가를 증명하려는 짓은 아주 어리석다고 생각해요."

심지어 다아시도 페미니즘적인 발언을 하는 인물로 볼 수 있다. 두 번째 청혼을 하고 나서 그는 말한다. "어린 시절, 나는 무엇이 옳은 것인지를 배웠지만 어떻게 성격을 다스리는지에 대해서는 배우지 못했어요. 나는 훌륭한 원리를 교육받았지만 그 원리를 오만하게 따랐지요. 불행하게도 제가 외아들이었던 까닭에—오랜 시간 동안 저는 형제자매가 없었지요—부모님께서 저의 버릇을 잘못 들이신 거지요. 부모님은 아주 좋은 분들이셨지만—특히 아버님은 무척 자애로운 분이셨지요— 내가 이기적이고 고압적으로 구는 것을 내버려 두시고 심지어 격려하고 가르치다시피 하셨지요. 내 가족 외에는 아무에게도 신경 쓰지 말고, 가족 외의 모든 세상 사람들을 저열하게 생각하도록, 적어도 그들의 판단과 가치가 나에 비해 저열하다는 생각을 하도록 가르치신 거지요. 여덟 살에서 스물여덟에 이르기까지 나는 그런 사람이었어요. 그리고 당신이 아니었다면 아마 지금도 달라지지 않았을 겁니다." 이 말에는 "초기 페미니스트들이 남성성에 대해 비난할 때 쓰는 많은 용어들이 포함되어 있다. 예를 들어 '버릇없는', '이기적인', '고압적인' 등과 같은 단어들은 급진적이든 온건하든 페미니스트들이 가부장적인 남성성에 대해 많이 쓰는 단어다." 『제인 오스틴과 여성의 영역Jane Austen and the Province of Womanhood』에서 앨리슨 설로웨이는 말한다.

3. 진실. 몇몇 영화 팬들은 『이성과 감성』이 『덤 앤 더머』의 후속편인 줄 알고 보러 갔다. 뭐라고 해야 할까? 그들은 『이성과 감성』에 대해서는 좀 더 알고 『덤 앤 더머』는 좀 덜 생각할 필요가 있다.

4. 거짓. 『맨스필드 파크』에서 에드먼드가 아버지와 나누는 내화를 보라. "그날 아침 에드먼드의 첫 번째 목표는 아버지를 혼자서 보는 것이었다." 『맨스필드 파크』에서 20장의 첫 부분, 혹은 제2권 2장.

5. 진실. 오스틴 소설에서 화요일은 중요한 일이 일어나는 날이다. 엠마 왓슨의 첫 무도회와 호워드 씨와의 댄스가 화요일에 일어났다. 네더필드 무도회도 화요일에 열렸다. 콜 가족의 무도회도 화요일에 열렸고, 프랭크 처칠은 화요일에 하이베리를 떠난다. 앤 엘리엇이 콘서트에 가서 웬트워스 대령과 대화를 나누려다 실패하는 것도 화요일에 일어난 일이다. 이외에 다른 예들을 보려면 http://www.jimandellen.org/austen/tuesdays.html을 참조하시오.

수학문제

6. b. 운동을 해서 밝게 빛난다.

7. $((a-15\%)\times1/4)+((b-15\%)\times3/8)+((c-15\%)\times X/8)=£25,000.$
   a=인근에 해군 제독이 있는 상황에서 적 군함을 포획한 총 가치, b는 인근에 해군 제독이 없는 상황에서 적 군함을 포획한 총 가치, c는 적 함대의 총 가치, X/8은 적 함대를 포획해서 받는 비율.

8. 러시워스 (1만 2천 파운드)
   빙리 (4천~5천 파운드)
   헨리 크로포드 (4천 파운드)
   브랜든 대령 (2천 파운드)
   윌로비 (600~700파운드)

   다아시 (1만 파운드)
   존 대시우드 (노어랜드에서 4천 파운드)
   베넷 씨 (2천 파운드)
   웬트워스 대령 (1,250파운드)

9. 그레이 양 (5만 파운드)
   우드하우스 양 (3만 파운드)
   캐롤라인 빙리 (2만 파운드)
   어거스타 호킨스 (1만 파운드)
   엘리노어, 마리안느, 마가렛, 대시우드 부인 (1만 파운드)

   모튼 양 (3만 파운드)
   조지아나 다아시 (2만 파운드)
   킹 양 (1만 파운드)
   마리아 워드 (7천 파운드)

10. 편지를 쓴 사람들 : (각자가 썼다고 소설에 명시된 편지의 최소 수)
    제인 베넷 (11통)
    리디아 베넷 (7통)
    가디너 씨 (5통)
    콜린스 씨 (3통)
    가디너 부인 (3통)
    샬롯 루카스 (2통)
    레이디 캐서린 (1통)

    엘리자베스 베넷 (8통)
    베넷 씨 (6통)
    캐롤라인 빙리 (4통)
    다아시 (3통)
    포스터 대령 (2통)
    조지아나 다아시 (1통)
    베넷 부인 (1통)

    제인 베넷 (11통) : 엘리자베스에게, 캐롤라인 빙리에게, 캐롤라인 빙리에게, 가디너 부인에게, 런던에서 엘리자베스에게(적어도 2통), 그리고 헌스포드에 있는 엘리자베스에게 보

265

낸 '모든 편지들'(적어도 2통), 더비셔에 있는 엘리자베스에게 2통, 가디너 부인에게.

엘리자베스 베넷 (8통) : 네더필드에서 엄마에게, 가디너 부인에게, 가디너 부인에게, 제인에게, 가디너 씨에게, 누군가에게(헌스포드에 있는 동안), 가디너 부인에게, 리디아에게.

리디아 베넷 (7통) : 브라이튼에서 엄마에게 적어도 2통, 키티에게 적어도 2통, 포스터 부인에게, 키티에게, 엘리자베스에게.

베넷 씨 (6통) : 콜린스 씨에게, 헌스포드에 있는 엘리자베스에게("아버지께서 지난주에 빨리 돌아오라고 편지하셨어요."), 롱번의 가족들에게, 가디너 씨에게, 가디너 씨에게, 콜린스 씨에게.

가디너 씨 (5통) : 가디너 부인에게, 포스터 대령에게, 엘리자베스에게, 베넷 씨에게, 베넷 씨에게.

캐롤라인 빙리 (4통) : 네더필드에서 제인에게 2통, 런던에서 한 통, 곧 다가올 결혼식에 대한 기쁨을 표현한 편지 한 통.

콜린스 씨 (3통) : 베넷 씨에게 감사편지, 베넷 씨에게 리디아의 도주를 언급하며, 베넷 씨에게 엘리자베스를 언급하며.

다아시 (3통) : 조지아나에게, 엘리자베스에게, 레이디 캐서린에게.

가디너 부인 (3통) : 엘리자베스에게(더비셔를 떠나면서 엘리자베스의 친구에게 보낸 쪽지는 빼고.)

포스터 대령 (2통) : 베넷 씨에게, 기디너 씨에게.

샬롯 루카스 (2통) : 엘리자베스에게, 헌스포드에서 '첫번째 편지'를 보냈다는 것을 참조하면 적어도 두 통은 보냈을 것이다.

조지아나 다아시 (1통) : 다아시의 기쁜 소식을 듣고.

레이디 캐서린 (1통) : 다아시에게.

베넷 부인 (1통) : 엘리자베스에게.

소설에서 언급된 것으로 미루어 최소한 이 정도 편지들이 쓰였다는 걸 알 수 있다. 더 많은 편지들이 쓰였을 여러 가능성이 있다. 적어도 리디아는 베넷 부인과 키티에게 비록 짧긴 해도 더 많은 편지를 썼을 것이고, 그들도 답장을 보냈음을 짐작할 수 있다. 하지만 오스틴은 이 점을 명백히 밝히지 않는다. 이와 유사하게, 우리는 샬롯이 엘리자베스에게 얼마나 많은 편지를 보냈는지 알지 못하지만 적어도 두 통을 보냈음을 알 수 있다. 헌스포드에서 "이전의 편지들"이 언급되고 있기 때문이다.

11. M=A. 엠마

캠브리지 판 『엠마』에서 편집자 리처드 크로닌과 도로시 맥밀란은 마크 로버리지를 인용한다. 로버리지는 박스 힐에서 웨스턴 씨가 내놓은 퍼즐("완벽을 표현하는 두 알파벳은 무엇인가?" 그 답은 "M과 A이다. 엠마.")은 프랜시스 허치슨이 1728년 출판한 『미와 덕의 원래 개념에 대한 성찰Enquiry into the Original Ideas of Beauty and Virtue』에 포함된 형이상학적 등식에 대한 언급이라고 주장한다. 이 책에서 허치슨은 M은 '선의 순간'과 등식 관계이고 A는 '능력'과 등식이라고 말한다. 그리하여 "자비 혹은 미덕은 M/A, 혹은 M+1/A이고, 어느 존재도 자연적인 능력 이상으로 행동하지 못한다. M=A인 곳에서 덕의 완벽이 존재한다." 이렇게 M과 A는 완벽과 등식이다.

12. (4−2=2)

『오만과 편견』의 서술자는 우리에게 말한다. "다아시는 허스트 부인과 한 번, 빙리 양과 한 번 춤을 추고는 다른 여성들을 소개 받기를 거절했다. 그리고 그날 저녁에 방을 이리저리 거닐며 보냈다." 엘리자베스는 피츠윌리엄 대령에게 말한다. "허트포드셔에서 내가 다아시 씨를 처음 본 것은 무도회에서였어요. 그 무도회에서 그가 무슨 일을 했다고 생각하시나요? 그는 춤을 단지 네 번밖에 안 추더군요!" 그러나 댄스는 기본적으로 두 번을 짝으로 이뤄지므로 다아시는 허스트 부인과 두 번, 빙리 양과 두 번 춘 것이다. 엘리자베스는 아마도 그것을 두 번이 아니라 네 번으로 계산했던 것 같다. 이 계산법이 그녀를 무시한 그의 태도에 대한 그녀의 분노를 악화시키는지는 알 수 없다.

• 유추 테스트 •

13. 제인 베넷 : 엘리노어 대시우드 = 리디아 : 마가렛 (맏딸과 막내딸의 관계)

14. 콜린스 : 엘튼 = 다아시 : 나이틀리 (거부당한 청혼자들 대 성공한 청혼자들)

15. 루카스 집 무도회에서 엘리자베스와 다아시 : 빙리 무도회 = 콜린즈 목사관 : 산책

(엘리자베스가 다아시에게 '노'라고 한 곳 대 '예스'라고 한 곳)

● 연결하기 ●

16.

러시워스 부인 ●	● 뉴펀들랜드 강아지와 3마리의 테리어들
패니 프라이스 ●	● 칠면조들
헨리 틸니 ●	● 꿩
웨스턴 부인 ●	● 퍼그 종 개
샬롯 루카스 ●	● 늙은 그레이 포니
샬롯 팔머 ●	● 포인터 종 개
레이디 버트램 ●	● 가금류
윌로비 ●	● 암탉들

17. e. 정답 없음

18. d. 7월.

오스틴의 오빠는 오스틴에게 보내는 편지에서 다음과 같이 말한다. "아니, 그 7월에 꽃 피는 사과나무들을 어디에서 구한 건지 알려주면 좋겠는데."

* 17번과 18번 문제는 쉴라 케이에 스미스와 G. B. 스턴의 『제인 오스틴에 대한 이야기Speaking of Jane Austen』에서 발췌함.

19. (1) 나이틀리 씨와 웨스턴 부인

(2) 엘튼 씨와 우드하우스 씨, 존 나이틀리 씨, 웨스턴 씨

(3) 존 나이틀리 부인, 프랭크 처칠, 제인 페어팩스, 엘튼 부인, 콜 씨 부부.

20. 케이 스미스와 스턴의 답 : "스미스 부인, 러시워스 씨, 베넷 부부, 틸니 장군, 가디너 씨

(가디너 부인은 M.으로 표시될 뿐이다), 웨스턴 씨, 브랜든 대령."

그들은 피츠윌리엄 대령, 노리스 부인을 제외했고, 가디너 씨를 포함했다. 그가 베넷 씨에게 보내는 편지에 'Edward Gardiner'라고 사인했지만.

21. 소설에 서술된 바는 없다. 아마도 어린 아이들은 베넷 부인이 감당하기에는 너무 벅차서는 아닐까.

• 채점 방법 •

2번 문제는 거짓도 진실도 모두 정답으로 인정. 또한 7번 문제, 즉 웬트워스 대령이 어떻게 부를 쌓았는지에 대해 공식을 만들어 내려고 시도했다면 모두 정답으로 인정. 결국 우리는 정답을 알 수 없고 여기에 제시된 답안은 하나의 예일 뿐이다. 20번 문제에 성이든 이름이든 5명 이상의 이름을 언급했다면 정답으로 인정. 또한 21번 문제에서 가디너의 아이들에 관해 답했다면 여기에 제시된 답과 다르더라도 정답으로 인정. 다른 문제들 역시 채점을 굳이 엄격하게 할 필요는 없다.

P18   The Charms of a Red Coat, 1787. *The Lewis Walpole Library, Yale University. 787.11.1.1.*

P32   Boy Bringing Round a Citizen's Curricle, *Thomas Rowlandson, 1787. Courtesy of The Lewis Walpole Library, Yale University 787.12.15.1.*

P37   Two young ladies in calico gowns, *from* Gallery of Fashion *by Humphry Repton. Victoria & Albert Museum, London,UK/The Bridgeman Art Library.*

P53   How to Pluck a Goose, *Thomas Rowlandson. Courtesy of The Lewis Walpole Library, Yale University 802.6.10.1.*

P81   Godmersham Park, *1785, by William Watts/Private Collection/The Bridgeman Art Library.*

P95   Portsmouth Point, *Thomas Rowlandson, 1811. Fanny Price begins her life in Portsmouth. Courtesy of The Lewis Walpole Library, Yale University 814.0.2.1.*

P99   Harmony before Matrimony, *James Gillray, 1805. Courtesy of The Lewis Walpole Library, Yale University 805.10.25.2.*

P103   Progress of the Toilet—.Dress Completed, *James Gillray, 1810. Courtesy of The Lewis Walpole Library, Yale University 810.2.26.3.*

P130   *From a set of Rowlandson's Etchings. 1790. Courtesy of The Lewis Walpole Library, Yale University. 790.6.27.1.*

P138   The Love Letter. *Courtesy of The Lewis Walpole Library, Yale University 785.10.11.1.*

P148   The Corporal in Good Quarters. *Thomas Rowlandson, 1808. Courtesy of The Lewis Walpole Library, Yale University 802.7.18.1.*

270

미래의창은 여러분의 소중한 원고를 기다리고 있습니다. 원고 투고는 미래의창 홈페이지를 이용해 주시기 바랍니다. 홈페이지와 블로그를 통해 독자엽서를 작성해 주시는 분들 중 매달 추첨을 통해 신간도서를 보내드립니다. 많은 참여 바랍니다.
미래의창 홈페이지 www.miraebook.co.kr 미래의창 블로그 blog.naver.com/miraegookjoa

올 어바웃 제인 오스틴

초판 1쇄 발행 2011년 7월 15일

지은이 캐롤 아담스, 더글라스 뷰캐넌, 켈리 게쉬
옮긴이 함종선
펴낸이 성의현

기획편집 김성옥, 박희선, 윤이든, 이명은
책임편집 박희선
디자인 김보형, 최진영
마케팅 연상희, 노현규
경영지원 이미영

펴낸곳 미래의창
등록 제10-1962호(2000년 5월 3일)
주소 서울 마포구 서교동 395-179 미르빌딩 5층
전화 02-325-7556(편집), 02-338-5175(영업) **팩스** 02-338-5140
홈페이지 http://www.miraebook.co.kr
이메일 miraebook@yahoo.com/miraebook@chol.com
ISBN 978-89-5989-159-7 03840